TALADROS
PORTÁTILES Y ESTACIONARIOS

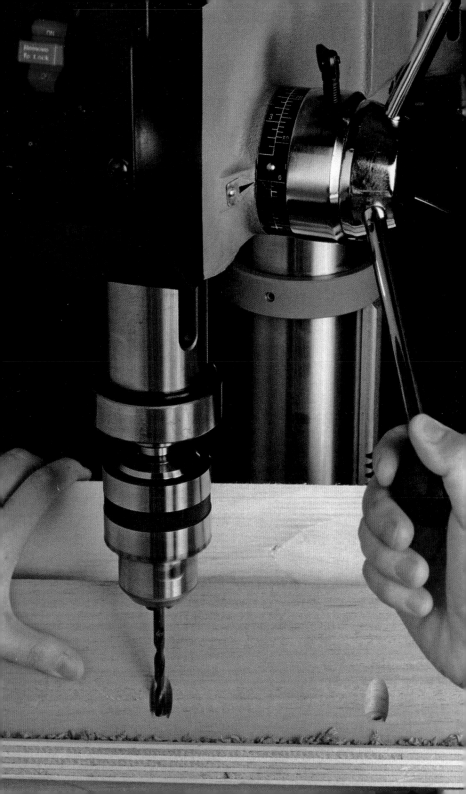

La herramienta informativa que usted necesita, al alcance de su mano

TALADROS
PORTÁTILES Y ESTACIONARIOS
MANUAL PARA EL CARPINTERO

Skills Institute Press

EDITORIAL
TRILLAS

México, Argentina, España,
Colombia, Puerto Rico, Venezuela ®

Catalogación en la fuente

Skills Institute Press
    Taladros portátiles y estacionarios : manual para el
carpintero / Jorge Durán Rubio, tr. -- México : Trillas, 2020.
    104 p. : il. col. ; 21 cm. -- (El taller de carpintería)
    Traducción de: Drills and Drill Presses. The Missing
Shop Manual
    Incluye índices
    ISBN 978-607-17-3856-1

    1. Carpintería - Herramientas. 2. Carpintería -
Manuales, etc. I. Durán Rubio, Jorge, tr. II. t. III. Ser.

D- 694.0202'5816t   LC- TH5607'54.8

Traducción: Jorge Durán

Título de esta obra en inglés:
Drills and Drill Presses.
The Missing Shop Manual

Versión autorizada en español de la
primera edición publicada en inglés por
©2010 Skills Institute Press LLC Fox Chapel
Publishing Inc. All rights reserved
ISBN 9781565234727

División Administrativa,
Av. Río Churubusco 385,
Col. Gral. Pedro María Anaya,
C. P. 03340, Ciudad de México
Tel. 56884233, FAX 56041364
churubusco@trillas.mx

División Logística,
Calzada de la Viga 1132,
C. P. 09439, Ciudad de México
Tel. 56330995, FAX 56330870
laviga@trillas.mx

 Tienda en línea
www.etrillas.mx

Miembro de la Cámara Nacional de
la Industria Editorial Mexicana Reg. núm. 158

Primera edición, enero 2020*
ISBN 978-607-17-3856-1

Impreso en México
Printed in Mexico

Esta obra se imprimió
el 3 de enero de 2020, en los talleres de
Imprenta Ajusco, S. A. de C. V.

EM 115 RW

Aviso legal

Índice de contenido

LO QUE USTED APRENDERÁ CON ESTE MANUAL

Capítulo 1
Cómo elegir un taladro,
página 8

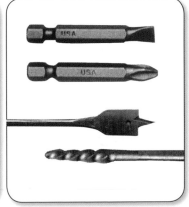

Capítulo 2
Brocas para taladro,
página 12

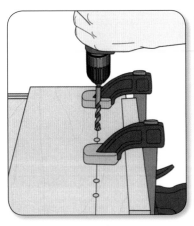

Capítulo 3
Conceptos básicos de perforación,
página 16

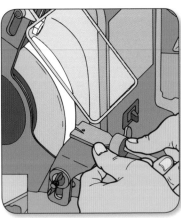

Capítulo 4
Cómo afilar brocas para taladro,
página 26

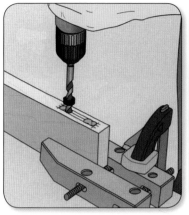

Capítulo 5
Ensambles con taladro,
página 38

Capítulo 6
Reparación y renovación,
página 48

Capítulo 7
Taladro estacionario
o de columna,
página 54

Capítulo 8
Cómo operar un taladro
estacionario, página 66

Capítulo 9
Ebanistería, página 86

CAPÍTULO 1

Cómo elegir un taladro

Aunque todos los taladros eléctricos operan básicamente de la misma forma, los carpinteros suelen tener a la mano varios taladros de modelos diferentes para poder realizar cualquier tarea de perforación. Un taladro inalámbrico reversible de ⅜ de pulgada, con velocidad variable y alimentación de 12 o 14.4 volts es ideal para la mayoría de las aplicaciones.

Los primeros modelos inalámbricos sacrificaban potencia por la portabilidad; sin embargo, las versiones más recientes han resuelto este problema, y hoy pueden producir un torque más que suficiente para hacer toda labor de perforación. Una característica habitual de un taladro es un mecanismo de ajuste de embrague deslizable. Cuando se enroscan tornillos con el taladro (utilizando una broca punta de desarmador), el embrague permite que la broca gire tan rápido como el tornillo; cuando el tornillo deja de girar, la broca también lo hace. Esto evita que la broca dañe la cabeza del tornillo o que se patine del tornillo y arruine la pieza de trabajo.

Otra de las características que usted debe buscar en un taladro es un interruptor de reversa, para sacar los tornillos o retirar una broca que se hubiese atascado en algún orificio.

ALÁMBRICOS E INALÁMBRICOS

Aunque los taladros inalámbricos han ganado popularidad últimamente, todavía debe haber un espacio para un taladro de cable en su caja de herramientas. Si usted es un carpintero de ocasión o un "hacelotodo" en el hogar (que solo utiliza el taladro una vez al mes), es muy probable que su batería esté descargada justo en el momento en que necesite su unidad inalámbrica. De ahí que lo más conveniente para usted sea un taladro alámbrico, que siempre esté listo para funcionar.

Lo mismo aplicaría si usted es un carpintero muy activo. Por ejemplo, al ensamblar algún proyecto grande y complejo es muy probable que deba taladrar cientos de orificios y colocar docenas de tornillos. Con un taladro inalámbrico trabajaría con mucha lentitud, ya que se vería obligado a detenerse para ponerlo a cargar una y otra vez.

En cualquiera de los casos, quizá la mejor solución sea tener dos taladros: uno de cable y otro inalámbrico. Son muchas las situaciones en que resulta de mucha utilidad disponer de ambos: uno con una broca para perforar agujeros guía, y otro con una punta para colocar los tornillos.

ANATOMÍA DE UN TALADRO ALÁMBRICO

Balero o rodamiento del motor
Se ubica en el extremo del eje del motor para reducir la fricción conforme el inducido del motor gira. Puede estar sellado

Ensamble del carbón
Una barra de carbón, accionada por un resorte, se encapsula en un compartimiento o carcasa. Conduce la corriente eléctrica al inducido del motor. Cualquier producción de chispas que salga del motor indicará el desgaste del carbón

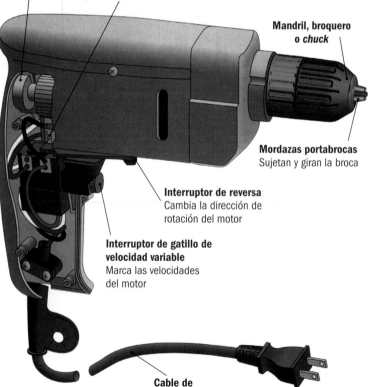

Mandril, broquero o *chuck*

Mordazas portabrocas
Sujetan y giran la broca

Interruptor de reversa
Cambia la dirección de rotación del motor

Interruptor de gatillo de velocidad variable
Marca las velocidades del motor

Cable de alimentación

ANATOMÍA DE UN TALADRO INALÁMBRICO

Mandril de cambio rápido

Ajustador de torque o par

Interruptor de rango de velocidad

Mordazas portabrocas
Sujetan y giran la broca

Interruptor de reversa
Cambia la dirección de rotación del motor

Interruptor de gatillo de velocidad variable

Liberador de batería

Batería recargable

CAPÍTULO 2

Brocas para taladro

La versatilidad de su taladro eléctrico solo estará limitada por la cantidad de brocas que usted coleccione o junte. Como aquí podrá ver, existe en el mercado una amplia gama de estos accesorios, que va desde las brocas helicoidal y de tres puntas (o tipo Brad), para taladrar orificios de diferentes diámetros y profundidades, hasta las brocas para avellanar o cajear,* que son muy útiles en la perforación de los orificios para aquellos tornillos que van empotrados en la madera.

La popular broca helicoidal taladra orificios de ⅟₃₂ a ½ pulgada de diámetro. Originalmente diseñadas para perforar metal, las brocas helicoidales tienden a patinar sobre una superficie antes de horadarla. Mejore su desempeño perforando un orificio de inicio con un punzón antes de taladrar.

La mayoría de los carpinteros prefieren las brocas de tres puntas o tipo Brad. Disponibles en acero al carbono, acero de alta velocidad o con filo de carburo, estas brocas tienen una punta central que les permite posicionarlas con mucha exactitud. Las brocas de mejor calidad tienen dos espolones perimetrales, que marcan la circunferencia del orificio antes de que los biseles de corte remuevan el material. Las brocas helicoidales son la mejor opción para hacer perforaciones anguladas.

Las brocas para taladro prácticamente no requieren mantenimiento, pero solo funcionarán bien si están afiladas.

Limitadores de profundidad
También se les conoce como topes de profundidad; sirven para taladrar a una profundidad exacta. Disponibles en juegos que coinciden con los diámetros de las brocas, suelen ser de ⅛ a ½ pulgada. Se requiere una llave hexagonal o tipo allen (a menudo se incluye en el juego de topes) para instalarlos en la broca.

*Aunque avellanar y cajear refieren a la acción de introducir un tornillo en toda su extensión, de modo que no sobresalga de la superficie del material, el primer término aplica para la forma cónica que poseen muchos tornillos para madera. En el caso de cajear, se trata de generar un agujero más amplio para ocultar cabezas de cuerpo hexagonal o circular, y aun para ocultar el tornillo más allá de la superficie del material, con el uso de un tapón o corcho de madera [N. del E.].

BROCAS PARA TALADRO

Broca helicoidal

Es la más económica de las brocas de uso común; sus estrías expulsan las astillas de madera durante la perforación. Se vende sola o por juego.

Broca de tres puntas o tipo Brad

Produce orificios suaves y precisos de ⅛ a ¾ de pulgada de diámetro. Tiene una punta central afilada para guiar la broca, y dos espolones que marcan la circunferencia del orificio antes de que los biseles de corte comiencen a desbastar el material.

Broca de espada o de paleta

Perfora orificios grandes de hasta 1½ pulgadas de diámetro. Con su filo, la punta central guía la broca mientras la hoja plana corta el material. Algunas brocas tienen espolones en la hoja para hacer orificios más limpios.

Broca de extracción

Útil para sacar tornillos con cabezas dañadas. Cuenta con roscas invertidas.

Broca sacabocados o de espolones múltiples

También se conoce como broca de dientes de sierra. Perfora orificios limpios, lisos y prácticamente de fondo plano. Su borde no se calienta tan rápido como el de la broca Forstner.

Broca Forstner

Perfora orificios de fondo plano con la mayor perfección. El borde de la cuchilla guía la broca mientras las trituradoras cortan.

Broca o punta de desarmador

Útil para instalar tornillos de cabeza ranurada, tipo Phillips o tipo Robertson de varios diámetros.

Broca para avellanar

Broca de combinación ajustable que en una sola operación puede perforar el orificio guía, el orificio de paso para el cuello del tornillo, el orificio de avellanado y el orificio de cajeado para los tornillos.

Fresa simple

También se conoce como cortador circular. Realiza orificios de 1½ a 8 pulgadas de diámetro. La hoja de corte se ajusta para obtener diferentes diámetros aflojando un tornillo de sujeción y deslizando la hoja hacia dentro o hacia fuera.

ACCESORIOS PARA TALADRO

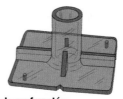

Broca de tapón o de tipo enchufe

Puede cortar corchos o tapones de madera de hasta ½ pulgada de largo para ocultar los tornillos cajeados; chaflana uno de los extremos del tapón o corcho para facilitar su instalación.

Guía de perforación

Útil para mantener el taladro en un ángulo fijo en materiales planos o redondeados. Los casquillos se adaptan a diferentes diámetros de broca.

Cabezal en ángulo recto

Para trabajar en curvas y esquinas cerradas; permite que el accesorio instalado en el mandril opere en un ángulo de 90° con respecto al cuerpo del taladro. Se instala entre el mandril y el cuerpo del taladro.

Adaptador de embrague (*clutch*)

Instala los tornillos sin tener que taladrar orificios guía; sujeta el tornillo de manera segura hasta que la cabeza queda a ras con la superficie; luego, el embrague se desactiva para evitar que la cabeza del tornillo se dañe.

Afiladora de brocas

Afila las brocas romas; tiene ruedas de esmeril y un mandril para sujetar las brocas.

Lija tipo *flap* para taladro

Puede lijar superficies curvas o contorneadas; tiene un cabezal de aluminio que hace girar las tiras de lija.

MANDRIL DE CAMBIO RÁPIDO

Un clic para insertar y un clic para sacar. Estos mandriles hacen que el cambio de broca sea sumamente fácil.

El mandril de cambio rápido es un dispositivo sencillo que se ajusta en cualquier taladro y que cuesta menos de 15 dólares. Le permite cambiar en segundos cualquier broca o punta de desarmador de mango hexagonal. El barril del mandril se ajusta automáticamente en su posición, de modo que asegura la broca en su lugar. Para quitar la broca, solo tire del barril hacia delante, a la posición fuera de bloqueo; este hará un clic, y la broca se aflojará.

Cualquier broca o punta de desarmador con un mango hexagonal de ¼ de pulgada puede adaptarse en un mandril de cambio rápido, incluyendo brocas helicoidales, brocas de espada, brocas de combinación para avellanar, brocas de autocentrado, sujetadores magnéticos de punta de broca, y puntas de desarmador de caja. Las brocas helicoidales vienen en dos estilos diferentes. En la broca de una pieza, el mango tiene una forma hexagonal en lugar de circular. Una variedad más sofisticada consiste en una broca convencional de mango redondo que se ajusta en un *collet* o portabrocas similar a los que se utilizan con una fresadora o *router*, de mango hexagonal. Si usted rompe o daña la broca, puede insertar una nueva en un *collet*.

CAPÍTULO 3

Conceptos básicos de perforación

Taladrar un orificio en una pieza de madera puede parecer una labor muy sencilla. Pero si tomamos en cuenta que algunas clases de madera son más difíciles de perforar que otras, y que hay ciertos orificios para proyectos de carpintería que deben taladrarse en ángulos precisos y a profundidades exactas, queda claro que esta operación aparentemente fácil conlleva, siempre, un margen de error. La precisión es tan importante en la perforación como lo es en cualquiera de las fases de un proyecto de carpintería. Un orificio para taquete (o tarugo) que esté descentrado o demasiado profundo, o un orificio oculto que se haya perforado en el ángulo incorrecto, pueden arruinar un proyecto tanto como lo haría un corte de sierra falto de precisión o un acabado mal aplicado. En muchas de las operaciones, la precisión se logra con la configuración adecuada. Si bien usted puede depender de una mano firme para taladrar un orificio perfectamente recto, existe una gran variedad de guías comerciales que le puede ayudar.

Un par de plantillas elaboradas en el taller, como las que se muestran en este capítulo, facilita la perforación de orificios rectos y angulados.

Si usted va a utilizar una broca helicoidal, haga primero un orificio de contacto para la broca con un punzón. A fin de evitar la producción de astillas conforme la broca sale de una pieza de madera, fije una tabla de soporte entre el material y la superficie de trabajo. Para obtener mejores resultados, comience la perforación a ritmo lento, y después aumente la velocidad de manera gradual conforme taladra. Controle la profundidad de un orificio instalando un limitador de tipo comercial en la broca o utilizando alguna alternativa elaborada en el taller.

TRABAJO RECTO Y ESCUADRADO

Una escuadra de verificación o un bloque elaborado en el taller le ayudará a mantener una broca perpendicular a una pieza de trabajo cuando haga una perforación. Para utilizar la escuadra, alinee su mango con la marca del orificio y con la hoja mirando hacia arriba. Centre la broca sobre la marca, alinéela con la hoja, y taladre el orificio (véase la figura de la izquierda). Asegúrese de mantener la broca paralela a la escuadra durante toda la operación. Para hacer el bloque guía, corte una cuña en ángulo de 90° en una de las esquinas de una tabla. Centre la broca sobre la marca y tope contra la broca la esquina muescada del bloque guía. Fije el bloque en su lugar. Manteniendo la broca a ras contra la esquina del bloque (véase la figura de la derecha), taladre el orificio.

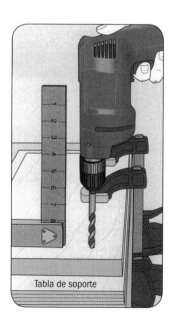

Tabla de soporte

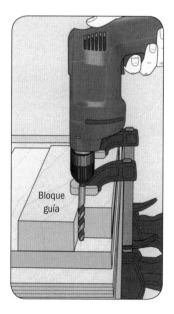

Bloque guía

ORIFICIO ANGULADO

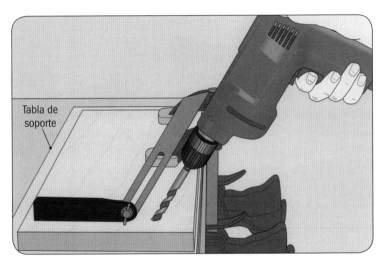

Tabla de soporte

Instale una escuadra corrediza en el ángulo adecuado; después, alinee su mango con el punto donde requiere hacer el orificio. Centre la broca sobre la marca, y perfore el orificio (véase la figura), manteniendo la broca paralela a la hoja de la escuadra mientras taladra.

Consejos desde el taller

Bloque guía para orificios angulados
Para elaborar un bloque guía que le permita horadar la pieza de trabajo en ángulo, taladre en un ángulo de 90° un pequeño bloque de madera con la misma broca que vaya a usar para hacer el orificio angulado. Después, haga un corte de inglete en uno de los extremos del bloque recortando la madera en el mismo ángulo del orificio que va a taladrar. Corte una muesca en una de las caras del bloque para facilitar su fijación, y haga una muesca con forma de V en la parte inferior que le ayude a ubicar la punta de la broca. Fije el bloque en su lugar cada vez que lo utilice para hacer un orificio.

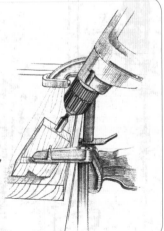

ORIFICIOS ANCHOS Y PROFUNDOS

Orificios anchos

Taladre orificios de hasta 1½ pulgadas de diámetro con una broca de espada; si requiere hacer orificios todavía más grandes, utilice una broca sacabocados. En uno u otro caso, pique primero la pieza de trabajo con un punzón para iniciar el orificio. Centre la broca guía sobre este punto de inicio y, sosteniendo el taladro con ambas manos, comience a perforar con ritmo lento. Incremente la velocidad de manera gradual y alimente el taladro solo con la presión necesaria para que la broca desbaste la madera.

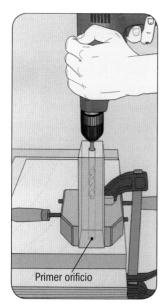

Primer orificio

Orificios profundos

Para hacer un orificio que sea más profundo que el largo de su broca, taladre orificios de interconexión desde los extremos opuestos de la pieza de trabajo. Comience picando con el punzón los orificios de inicio en un mismo punto de perforación en ambos extremos. Luego, sujete la pieza de trabajo con un sargento de cárcel, y fije el sargento en una superficie de trabajo con alguno de los puntos de inicio bocarriba. Centre la broca sobre el punto, y perfore un orificio que vaya ligeramente más allá de la mitad del material.

Luego, voltee la pieza de trabajo, y fíjela en posición. Centre la broca sobre el otro punto de inicio, y concluya la tarea de perforación.

CÓMO ENSANCHAR UN ORIFICIO

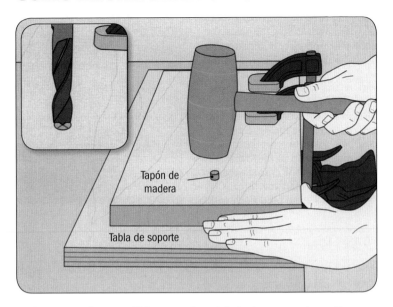

Tapón de madera

Tabla de soporte

Para ensanchar un orificio que se haya taladrado con una broca tipo Brad o una broca de espada, necesitará una superficie sólida en la cual apoyar el punto central de la broca. Para ello, primero cubra el orificio con un tapón de madera, utilizando un mazo de carpintero. Use un tapón que sea del mismo diámetro que el orificio para obtener un ajuste perfecto, y asegúrese de que se quede a ras con la superficie de la pieza de trabajo. Marque el centro del tapón, instale la broca adecuada en el taladro y perfore el orificio más ancho (véase la figura del recuadro).

PLANTILLA PARA HACER ORIFICIOS

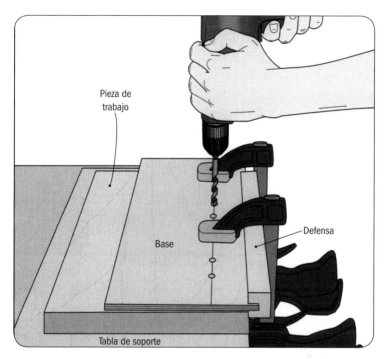

Para perforar una hilera de orificios equidistantes, use una plantilla para perforación que usted puede elaborar en el taller a partir de un pedazo de triplay* de ¼ de pulgada. Las dimensiones de la plantilla dependerán del tamaño de su pieza de trabajo.

Para hacer la plantilla, marque una línea en el triplay que le permita alinear los orificios; luego, taladre al espaciado que requiera. Corte una pieza de madera de 1" × 1" y de la misma longitud que la base, y haga una ranura de ½ pulgada de profundidad y ¼ de pulgada de ancho a lo largo de alguno de los bordes. Pegue la pieza de 1" × 1" a la base, de modo que le sirva como una defensa.

Coloque su pieza de trabajo sobre una tabla de soporte, y luego fije la plantilla al material, con la defensa a ras contra su borde. Utilice los orificios de la plantilla para guiar la broca en la pieza de trabajo.

*Al triplay también se le conoce como madera contrachapada, multilaminado, *plywood* o madera terciada [*N. del E.*].

CÓMO COLOCAR TORNILLOS

Colocar un tornillo en madera rígida sin perforar previamente el orificio implica cierto riesgo de arruinar la pieza de trabajo o de romper la cabeza del tornillo. Dependiendo de cuán profundo requiera usted que entre el tornillo, es probable que tenga que perforar hasta cuatro orificios traslapados de diámetros distintos, uno dentro del otro. Si desea que la cabeza del tornillo se asiente en la superficie de la madera, taladre un orificio guía para las roscas y un orificio de paso para el cuello del tornillo. Para obtener un mejor agarre, el orificio guía debe ser ligeramente más pequeño que las roscas del tornillo. Para colocar la cabeza a ras con la superficie, taladre un orificio para avellanar. Si desea ocultar el tornillo debajo de un tapón de madera, realice, además, un orificio para cajear el tornillo.

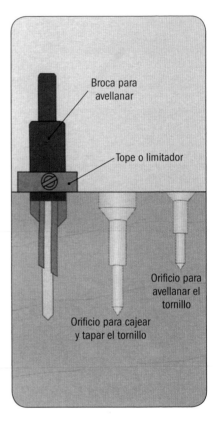

Hay dos formas de perforar orificios para los tornillos. Puede usar una broca diferente para hacer cada orificio o, como se muestra en la figura, perfórelos simultáneamente con una broca avellanadora.

CÓMO COLOCAR TORNILLOS *(Continuación)*

Broca con punta
de desarmador

Tubo de cobre

Para atornillar dos piezas de madera juntas, instale en su taladro una broca para avellanar que tenga un tamaño acorde con las dimensiones de su equipo. Una broca de esta variedad puede hacer un orificio guía, y tiene un collarín, tope o limitador que se desliza hacia arriba y hacia abajo para ajustarse y perforar orificios avellanados o cajeados. Fije las piezas de trabajo, una encima de la otra, en una superficie plana, y haga el orificio. Si usted va a utilizar un desarmador para instalar el tornillo, cubra las roscas del tornillo con cera de vela para facilitar su conducción. Si va a usar el taladro, instale una punta de desarmador y coloque el tornillo en el orificio con la mano. Para instalar un tornillo de cabeza ranurada, deslice un pequeño pedazo de tubo de cobre en el tornillo para evitar que la punta del taladro se patine de la cabeza y arruine la madera. Ajuste la broca en la cabeza del tornillo y aplique una ligera presión al mismo tiempo que arranca el taladro lentamente; incremente de manera gradual la presión de alimentación y la velocidad del taladro a medida que el tornillo se sujeta a la madera.

CONSEJOS DE SEGURIDAD PARA OPERAR UN TALADRO

- Siempre utilice gafas de seguridad cuando opere un taladro; use también una máscara antipolvo si va a utilizar un accesorio para lijar o raspar.

- Nunca use el taladro si alguna de sus piezas está suelta o dañada; siempre revise sus brocas y accesorios antes de perforar.

- Mantenga todos los cables lejos del área de corte.

- Siempre desenchufe el taladro de su fuente de alimentación antes de cambiar una broca o accesorio, o previo a realizar cualquier ajuste en la herramienta.

- Mantenga las manos alejadas de la parte inferior de una pieza de trabajo cuando la broca esté perforándola.

- Siempre que instale una broca, asegúrese de insertarla completamente en el mandril.

- Mantenga las rejillas de ventilación del taladro libres de aserrín, para evitar el sobrecalentamiento del motor.

- Nunca fije una pieza de trabajo con la mano. Hágalo siempre en una superficie plana, de manera que pueda mantener ambas manos libres para operar la herramienta.

- Mantenga una postura cómoda y equilibrada al operar el taladro; no se extralimite.

- Nunca fuerce el taladro; deje que perfore a su propia velocidad, retirando la broca del orificio periódicamente para despejar los residuos.

- No utilice ropa holgada ni joyería durante la operación del taladro.

CONSEJOS DE SEGURIDAD PARA PERFORAR

- Siempre lea detenidamente el manual de usuario de cada herramienta antes de operarla.

- Nunca utilice una herramienta si alguna de sus piezas está suelta o dañada; revise las cuchillas, las brocas y los accesorios antes de iniciar una operación.

- Mantenga las cuchillas y las brocas bien limpias y afiladas, y deseche aquellas que estén astilladas o dañadas.

- Apague toda herramienta que produzca alguna vibración o ruido desconocido; llévela a revisión antes de usarla nuevamente.

- Siga las instrucciones del fabricante para cambiar cuchillas, brocas o accesorios. Antes que nada, siempre desenchufe la herramienta.

- Nunca fuerce la herramienta a través de un corte, ya que puede romper una broca o hacer que se desvíe del curso. Deje que la cuchilla o la broca trabaje a su propia velocidad.

- Siempre asegúrese de que las llaves del mandril y que otras herramientas de ajuste se hayan quitado del taladro antes de encenderlo.

- Nunca utilice una herramienta durante periodos prolongados sin dejar que se enfríe.

CAPÍTULO 4

Cómo afilar brocas para taladro

Perforar con una broca chata o sin punta lleva tiempo y esfuerzo innecesarios, además puede romper la broca. También ocasionará que la broca se patine, o que el motor del taladro se estropee

Mientras que las brocas de tamaños reducidos y demasiado económicas deben desecharse y remplazarse, las brocas romas, grandes y más costosas deben afilarse. Y aunque una afiladora profesional realizará esta labor con eficacia, usted mismo puede hacerla fácilmente.

Las brocas con bordes delicados y anatomías complejas deben afilarse a mano; de ser posible, con limas y piedras de afilar especialmente adaptadas a la broca particular, como sucede, por ejemplo, con el uso de piedras y limas triangulares en el afilado de una broca de avellanar.

Para restaurar los filos de las brocas helicoidales y de espada, use una rueda de esmeril con un soporte para la herramienta y algunos accesorios simples. Una plantilla define los ángulos correctos para una broca helicoidal, y un calibrador para taladro verifica los ángulos y las longitudes del labio o filo de corte de la broca afilada. Un limitador, que apoya con firmeza a la broca contra el soporte de la herramienta, le permite esmerilar simétricamente las alas de una broca de espada.

Guarde siempre sus brocas en cajas con divisiones o en rollos de lona y límpielas con regularidad para retrasar cualquier proceso de deterioro. Una lija fina y una tela de esmeril removerán el óxido y la pulpa de la madera. Para limpiar la hélice de la broca, sumerja un poco de cuerda de manila en queroseno y, luego, en polvo de piedra pómez. Acto seguido, envuelva la cuerda alrededor de las estrías (*tb.* canales o flautas) de la broca. Para limpiar el tornillo de avance de una broca larga de tipo barrena, use un pedazo de cartoncillo.

ÁNGULO DE CORTE

Broca helicoidal

Dos crestas o salientes llamadas "fajas" giran en espiral alrededor del eje central, o cuerpo, de una broca helicoidal. En la punta o extremo de corte, las fajas se esmerilan para encontrarse en un ángulo de 118° (82° en algunas brocas especiales para madera) y formar así dos planos, llamados caras de ataque, las cuales convergen a lo largo de un borde central cincelado. El borde frontal de cada una de las caras de ataque, llamado labio de corte, es ligeramente más alto que el borde posterior o talón. La distancia entre ambos permite al cuerpo de la broca seguir con facilidad a los labios mientras estos cortan la madera; las virutas se mueven a lo largo de las espirales de las fajas y salen del orificio.

Los labios de corte son, naturalmente, las primeras partes de la broca que se desgastan: los bordes de los labios se vuelven ligeramente romos y redondeados, su distancia con respecto a los talones disminuye, y la broca se traba y sobrecalienta.

Broca de espada

Esta broca de hoja plana tiene una punta, o espolón, que muerde la madera y estabiliza la broca en el centro de la perforación, mientras que los labios de corte en forma de ala desbastan el material, tallando el orificio. Los bordes de los labios y el espolón están biselados en un ángulo de 8°; en la mayoría de las brocas de espada, los labios son perpendiculares al eje de la broca, pero en algunos modelos esta relación se presenta angulada. En una broca de espada con desgaste los biseles están un poco redondeados, y los labios de corte están ligeramente desiguales y fuera de línea.

Labios de corte · Cuerpo · Faja

Labios de corte · Espolón

Ángulo de corte

BROCA HELICOIDAL

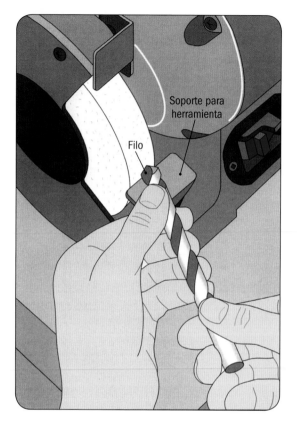

Soporte para herramienta

Filo

Sujetando la broca con los dedos índice y pulgar de una de sus manos, colóquela en el soporte de la esmeriladora y avance hacia la rueda hasta que su dedo índice entre en contacto con el soporte. Incline el eje de la broca hacia abajo y hacia la izquierda, de modo que uno de los filos o labios de corte quede en ángulo recto con la rueda de esmeril (véase la figura). Gire la broca en el sentido de las manecillas del reloj para esmerilar el labio de manera uniforme. Revise periódicamente el ángulo del filo y trate de mantener el ángulo a 60°. Repita el procedimiento para el segundo filo. De vez en cuando, limpie la broca con aceite para evitar su oxidación.

BROCA HELICOIDAL *(Continuación)*

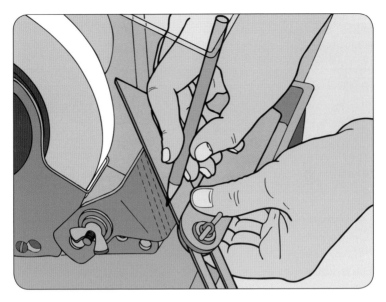

Use una escuadra corrediza y un lápiz para trazar una línea en el soporte de la esmeriladora, en un ángulo con respecto a la cara de la rueda que sea la mitad del ángulo adecuado para la punta de la broca (para la mayoría de las brocas helicoidales, configure la escuadra a 59°; en el caso de las brocas especiales para madera, hágalo a 41°). A la izquierda de esta línea, en intervalos de ¼ de pulgada, trace varias líneas paralelas en un ángulo 12° menor que el primero (por lo general, este será un ángulo de 47°). Use una prensa o sargento en C para fijar un pequeño bloque de madera en el soporte de la herramienta, a la derecha y a ras de la línea de 59°.

Para brocas helicoidales menores de ⅛ de pulgada, omita las líneas paralelas, pero ajuste el soporte de la herramienta de modo que el borde posterior esté 12° más abajo que el borde frontal.

BROCA HELICOIDAL (*Continuación*)

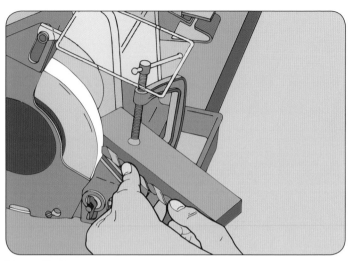

Esmerilado

Portando gafas de seguridad y una mascarilla,[1] encienda la esmeriladora y deje que su rueda corra hasta que alcance una velocidad constante. Sostenga el mango de la broca helicoidal con su mano derecha y use la mano izquierda para apoyar la broca contra el bloque guía, con uno de sus labios de corte perfectamente horizontal. Mueva lentamente la broca hacia delante, hasta que haga contacto con la rueda, gire el mango de la broca en el sentido de las manecillas del reloj y mueva toda la broca de modo oscilatorio, en paralelo a las líneas de 47°. Mida los movimientos de manera que, cuando la broca alcance la posición de 47°, usted haya rotado la broca desde el labio de corte hasta el talón de alguna de las superficies de la punta.

Ahora coloque la broca con el otro labio de corte en posición horizontal, y esmerile la segunda superficie de la punta en la misma forma. Alterne las pasadas entre las superficies de la punta, esmerilando cada una por igual, hasta que toda la broca esté afilada. Después de cada dos o tres pasadas, deténgase para que la broca se enfríe.

Para esmerilar cualquier broca menor de ⅛ de pulgada, colóquela de manera similar, pero no la balancee ni la gire.

[1] También puede utilizarse una careta para esmerilar [*N. del E.*].

BROCA HELICOIDAL (Continuación)

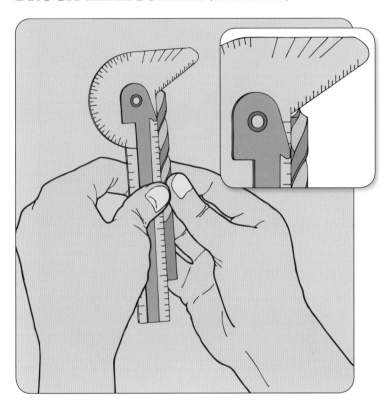

Broca helicoidal

Verificación de ángulos

Coloque la broca en la esquina del labio de un calibrador de puntos de perforación[2] para comparar las longitudes de los labios de corte; luego, gire un poco la broca para verificar la distancia que hay entre los talones (véase la figura del recuadro). Si los labios o las distancias son desiguales, vuelva a esmerilar la broca.

---

[2] Este instrumento también integra otras funciones, como transportador de ángulos, regla cuadrada, buscador de centro y divisor de círculos [*N. del E.*].

BROCA HELICOIDAL (*Continuación*)

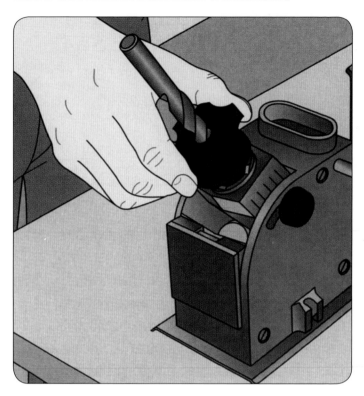

Afiladora de brocas

Configure una afiladora siguiendo las instrucciones del fabricante. Ajuste el bloque angular al ángulo adecuado para afilar la broca, e inserte la broca en el medidor de profundidad. Este medidor le permite asegurar la broca a la altura correcta en el sujetador. Luego, coloque el sujetador sobre la broca (véase la figura), y úselo para remover la broca del medidor. Acto seguido, asegure la broca y el sujetador en el bloque angular. Encienda el dispositivo y, manteniendo la broca firme, gire lentamente el sujetador los 360° contra la piedra o muela de afilar que se encuentra en el interior de la afiladora.

Aplique solo una ligera presión; demasiada fuerza sobrecalentará la broca.

BROCA DE ESPADA

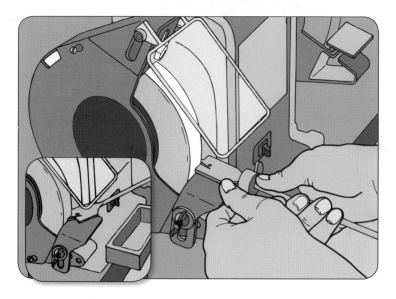

Cómo biselar los bordes

Coloque el soporte de la esmeriladora en un ángulo de 8° con respecto a la horizontal y con el extremo superior orientado hacia la rueda de esmeril. Adapte un limitador en el mango de una broca de espada para que, cuando el limitador tope con el borde del soporte, los labios de corte de la broca se apoyen contra la cara de la rueda. Mantenga la broca bien apoyada sobre el soporte de la esmeriladora y ponga uno de los labios de corte, con el bisel abajo, en la cara de la rueda. Cuando este labio se haya esmerilado, voltee la broca para esmerilar el otro.

Para esmerilar los biseles en los bordes del espolón, balancee la broca unos 90° y guíela contra la rueda a mano alzada (véase la figura del recuadro). Voltee la broca para esmerilar el borde opuesto del espolón, teniendo cuidado de rectificar ambos bordes por igual para que el espolón permanezca centrado.

Elimine las rebabas en espolones y labios con una o dos ligeras pasadas de una piedra de afilar en las caras planas (llamadas coloquialmente paletas).

BROCA DE ESPADA *(Continuación)*

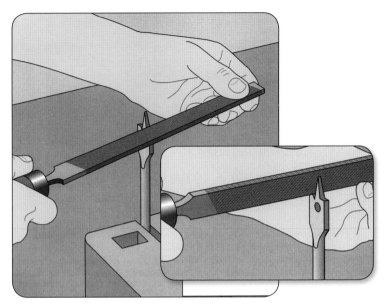

Cómo limar los filos de la broca

Asegure la broca en una prensa de banco, y use una lima bastarda plana de corte simple para retocar los filos de ambos bordes. Lime en el movimiento de empuje (véase la figura), inclinando el mango de la lima ligeramente hacia abajo para que coincida con el ángulo de los filos de la broca; lo usual es entre 5 y 10°. A continuación, retoque en la misma forma los filos en ambos lados de la punta de la broca (véase la figura del recuadro), teniendo cuidado de no alterar su ahusamiento. No remueva demasiado metal de la base de la punta o debilitará la broca.

BROCA DE TRES PUNTOS O TIPO BRAD

Cómo limar el extractor de virutas

Fije la broca en posición vertical en una prensa de banco, y lime las caras internas de los dos extractores de virutas justo como lo haría con los de una broca Forstner (página 37). No obstante, en el caso de una broca de tres puntas, deberá utilizar una lima de aguja triangular (véase la figura superior) para afilar cada borde cortante de la broca y aplanar cada uno de los extractores de virutas.

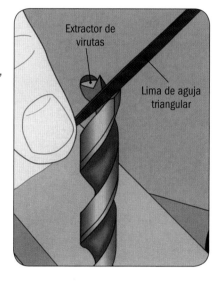

Extractor de virutas

Lima de aguja triangular

Espolones de corte

Use la lima de aguja para afilar las caras internas de los dos espolones de corte de la broca. Sostenga la herramienta con ambas manos y lime hacia la punta de Brad hasta que cada espolón esté afilado (véase la figura inferior).

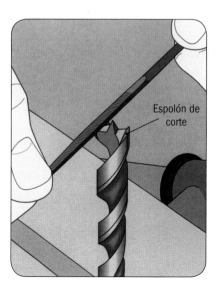

Espolón de corte

BROCA SACABOCADOS O DE ESPOLONES MÚLTIPLES

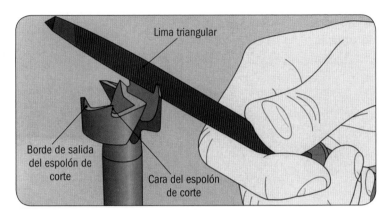

Lima triangular

Borde de salida del espolón de corte

Cara del espolón de corte

Cómo limar los espolones de corte

Asegure la broca en posición vertical en una prensa de banco, y use una lima triangular para afilar el borde delantero, o cara, de cada espolón (véase la figura). Lime con cada movimiento o golpe de empuje, hacia la punta central de la broca, inclinando levemente el mango de la lima.

A continuación, lime de la misma forma el borde posterior o de salida de cada espolón. Lime todos los espolones por igual, de modo que queden a la misma altura. Asegúrese de no limar de más los espolones de corte; estos están diseñados para ser ½₂ de pulgada más largos que los extractores de virutas.

Punta central o Brad

Lime los extractores de virutas como lo haría con los de una broca tipo Forstner (página 37). Después, lime la punta central hasta que esté bien afilada (véase la figura del recuadro).

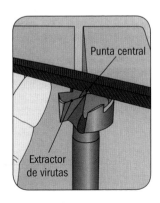

Punta central

Extractor de virutas

BROCAS FORSTNER

Bisel interior

Para corregir una broca Forstner, rectifique el borde superior del canto de la broca con una lima; así eliminará cualquier mella o hendidura. Si los bordes biselados de los espolones del canto de la broca están disparejos, esmerílelos utilizando un taladro eléctrico equipado con un accesorio esmerilador giratorio (por ejemplo, una fresa). Asegure la broca en una prensa de banco, tal como se muestra, y esmerile los bordes hasta que todos queden uniformes (véase la figura de la derecha).

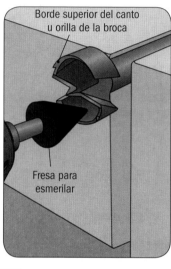

Borde superior del canto u orilla de la broca

Fresa para esmerilar

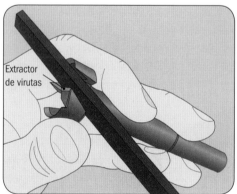

Extractor de virutas

Extractores de virutas

Use una lima bastarda plana de corte simple para limar ligeramente las caras internas de las cuchillas.

Mantenga la lima bien apoyada contra una de las cuchillas (también conocidas como extractores de virutas), y dé algunas pasadas a lo largo de la superficie (véase la figura). Repita el procedimiento con la otra cuchilla. Finalice el trabajo afilando los bordes biselados dentro del canto de la broca con una piedra para afilar.

Brocas Forstner

CAPÍTULO 5

Ensambles con taladro

Puede que un taladro eléctrico portátil no sea la primera herramienta que le venga a la mente cuando piense en ensambles y juntas

Sin embargo, para cualquier método de ensamble que requiera un corte de cavidad a una profundidad exacta, el taladro es una opción funcional. Resulta especialmente práctico en la elaboración de juntas de caja y espiga.

En caso de trabajar con el método de caja y espiga, la herramienta producirá cajas de una manera rústica; de ahí que usted deberá escuadrar sus esquinas con un formón. Un limitador o una guía de profundidad garantizará que el fondo de la cavidad quede parejo y nivelado.

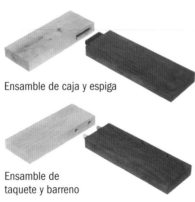

Ensamble de caja y espiga

Ensamble de taquete y barreno

Una broca de tres puntas le dará mejores resultados. Elija una cuyo diámetro sea equivalente al ancho del contorno de la caja. Lo más conveniente es cortar la espiga primero y luego usarla para marcar las dimensiones de la caja.

Un taladro también puede realizar todos los pasos necesarios para preparar el material para un ensamble de taquete y barreno. El punto esencial para hacer una unión precisa consiste en centrar los orificios del taquete y barreno en la pieza de trabajo; de otro modo, las dos piezas que se van a unir quedarán desalineadas.

CAJAS PERFORADAS

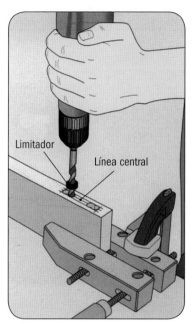

Limitador

Línea central

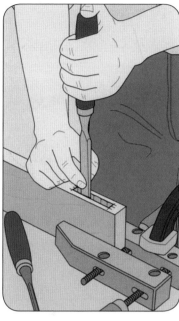

Cajas perforadas

Fije la pieza de trabajo en sargentos de cárcel. Luego, asegure el material a una superficie de trabajo como se muestra, con el contorno de la caja bocarriba. Marque una línea a través del centro del contorno para que pueda alinear la broca. Instale un limitador y ajuste la profundidad de perforación para que corresponda con la longitud de la espiga. Con la broca posicionada directamente sobre la línea central, taladre un orificio en cada extremo del contorno de la caja; sostenga el taladro con ambas manos para mantener la herramienta perpendicular al canto del material. Posteriormente haga una serie de orificios traslapados (véase la figura de la izquierda) para remover la mayor cantidad posible de madera sobrante. Escuadre la caja con un formón, manteniendo su hoja perfectamente vertical y su borde biselado de cara al interior de la caja (véase la figura de la derecha).

TAQUETES

Muchos carpinteros utilizan taquetes como apoyos para alinear las tablas en la elaboración de un panel. Una de las dificultades que se presentan al usar esta técnica es que los también llamados tacos o tarugos de madera deben estar bien centrados en los bordes de las tablas que se van a unir. En la figura de arriba se observan los puntos de ubicación de los taquetes: a unas 3 pulgadas de cada uno de los extremos de las tablas, y un taquete más en la parte media de cada tabla. A continuación se traza una línea a lo largo de los puntos con un gramil de corte —configurado a un medio del grosor de la madera—. Las líneas se cruzan en el centro de los bordes de la tabla, lo que asegura la perfecta colocación de los taquetes.

TAQUETES *(Continuación)*

Taquetes

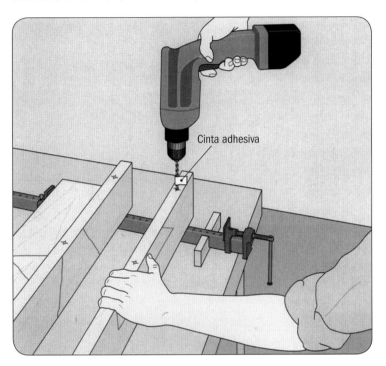

Cinta adhesiva

Perforación

Localice los puntos para los taquetes en los bordes o cantos de la tabla. Para evitar que las tablas se partan con los taquetes, utilice taquetes ranurados que no tengan más de la mitad del grosor del material. Instale en el taladro una broca del mismo diámetro que el de los taquetes; luego, envuelva una tira de cinta adhesiva alrededor de la broca para marcar la profundidad de perforación, que debe ser un poco más de la mitad de la longitud de los taquetes. Mantenga el taladro perpendicular al canto de la tabla a medida que perfora cada orificio (véase la figura); retire la broca cuando la cinta adhesiva toque la madera. Aunque el taladro de columna también puede utilizarse para perforar los orificios, mantener la estabilidad de tablas más largas en la mesa de la máquina puede ser muy complicado.

TAQUETES *(Continuación)*

Orificios de acoplamiento

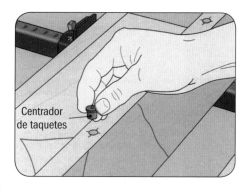

Centrador de taquetes

En cada uno de los orificios, inserte un centrador que sea del mismo diámetro que los taquetes (figura de la derecha); luego, coloque las tablas bien apoyadas sobre los sargentos, con la marca triangular de frente a usted. Alinee los extremos de las tablas y tope el canto de la segunda tabla contra el canto de la primera. Los extremos puntiagudos de los centradores de taquetes marcarán por presión la madera, brindando puntos de partida para los orificios de los taquetes de acoplamiento. Haga estos orificios a la misma profundidad que en el paso anterior; después, repita el procedimiento para trabajar en la tercera tabla.

Encolado

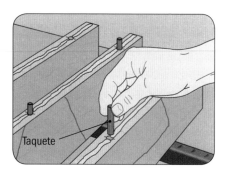

Taquete

Aplique pegamento a la tabla de la misma forma en que se hace cuando se pegan sus bordes. Luego, use una punta de lápiz para aplicar una pequeña cantidad de adhesivo en cada orificio para taquetes. Evite esparcir el pegamento directamente en los taquetes; estos absorben la humedad rápidamente y se hincharán, lo que dificultará su colocación en los orificios. Inserte los taquetes y golpéelos suavemente, con un mazo de carpintero, hasta su posición final.

Evite golpear los taquetes con demasiada fuerza; esto puede ocasionar que la tabla se parta. Cierre la junta, y apriete las prensas. Remueva el exceso de pegamento.

SILLAS

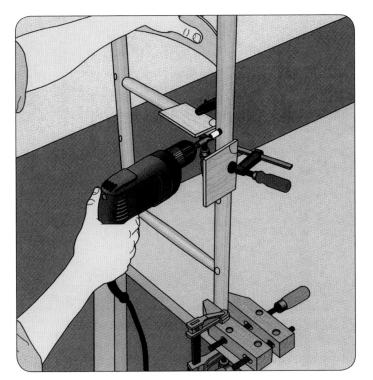

Las cajas en las patas para los travesaños laterales y los traveseros intermedios deben taladrarse en ángulos compuestos (es decir, que estén anguladas tanto en el plano horizontal como en el vertical). Comience asegurando una de las patas traseras en un sargento de cárcel y sujetando el ensamble en posición vertical a una superficie de trabajo. Use el asiento de la silla y los laterales, un transportador y una escuadra corrediza para determinar el ángulo de perforación. Pero en lugar de fijar dos escuadras corredizas en el material, corte dos piezas cuadradas de triplay; fije uno de estos cuadros en la pata para señalar el ángulo vertical, y sujete el segundo cuadro al travesaño o al travesero intermedio para indicar el ángulo horizontal. Detenga la perforación cuando la marca de profundidad (de cinta adhesiva) entre en contacto con el material.

PLANTILLAS PARA TAQUETES

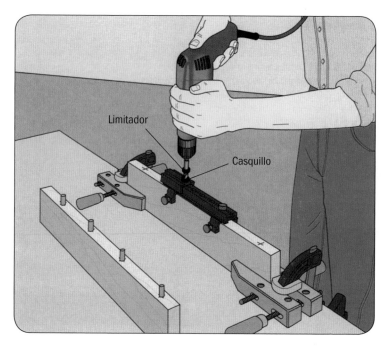

Limitador

Casquillo

Asegure una de las tablas que va a unir con los sargentos de cárcel, tal como lo haría para taladrar una caja. Fije una plantilla para taquetes en el borde o canto de la pieza de trabajo. El modelo de plantilla que aquí se muestra centra los agujeros para taquetes en el material y los distribuye en el intervalo que usted elija. Para evitar que las tablas se partan, utilice taquetes ranurados que no tengan más de la mitad del grosor del material. Coloque en su taladro una broca del mismo diámetro que el de los taquetes, e instale un limitador para marcar la profundidad de la perforación (que debe ser un poco más de la mitad de la longitud de los taquetes). Deslice el portacasquillo a lo largo de la plantilla, e inserte el casquillo correspondiente en el orificio que planea perforar. El casquillo asegura que la broca se mantenga perfectamente escuadrada a la tabla. Sosteniendo el taladro con firmeza, perfore el orificio. Realice las perforaciones para el resto de los taquetes.

GUÍAS DE PROFUNDIDAD O LIMITADORES

Guía de cinta

Para hacer un orificio a una profundidad exacta, utilice una marca de cinta adhesiva o un bloque limitador de profundidad. Si va a usar la cinta, mida la profundidad de perforación desde la punta de la broca; luego, enrolle una tira de cinta alrededor de su cuerpo. Retire la broca cuando la cinta toque el material. Para usar un bloque

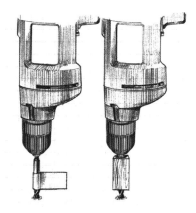

limitador, reste la profundidad de perforación de la longitud de la broca que sobresalga del mandril. Corte una pieza de madera de 1" × 1" a dicha longitud, y perfórela a través de su parte media. Deslice la broca a través del bloque limitador, y perfore el orificio que requiera. Cuando el bloque de madera toque la pieza de trabajo y deje de girar con la broca, retire la herramienta.

Medidor de profundidad

Para aminorar el riesgo de partir las tablas cuando se insertan los taquetes, use este medidor de profundidad que se elabora en el taller. Corte al hilo* una tabla de 9 pulgadas de largo, con un grosor que sea exactamente la mitad de la longitud de los taquetes. Perfore un

orificio ligeramente más amplio que el grosor de los taquetes a través del medidor y cerca de uno de los extremos. Luego, colóquelo alrededor de cada taquete cuando lo golpee suavemente en su orificio. El taquete estará a la profundidad adecuada cuando quede a ras con la parte superior del medidor de profundidad.

* Cortar al hilo es realizar el corte longitudinal, a lo largo de la veta [N. del E.].

PLANTILLA DE PERFORACIÓN CENTRAL

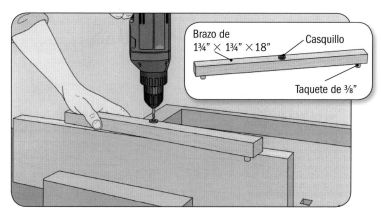

Brazo de
1¾" × 1¾" × 18"

Casquillo

Taquete de ⅜"

La plantilla simple que se muestra en la figura le permitirá hacer orificios bien centrados en el borde de una tabla. En el recuadro de la figura de arriba encontrará las dimensiones sugeridas para elaborarla. Marque el centro de la cara superior de un brazo de madera, y haga una perforación para instalar un casquillo guía. El orificio para el casquillo debe ser del mismo tamaño que los orificios que planee taladrar en las piezas de trabajo. Ahora, voltee el brazo y trace una línea que lo divida a lo largo. Marque puntos sobre dicha línea, a 1 pulgada de cada extremo (verifique las medidas cuidadosamente). Luego, taladre un orificio de ⅜ de pulgada de diámetro a medio camino del brazo, en cada marca. Coloque un poco de pegamento en los orificios, e inserte los taquetes. Estos deberán sobresalir unos ⅜ de pulgada.

Esta plantilla puede utilizarse para perforar el centro de una tabla ancha.

Para usar la plantilla, colóquela sobre la pieza de trabajo de modo que los taquetes topen contra las caras opuestas del material. Sujetando la plantilla con una mano, coloque la broca en el casquillo y taladre el orificio.

ORIFICIOS OCULTOS

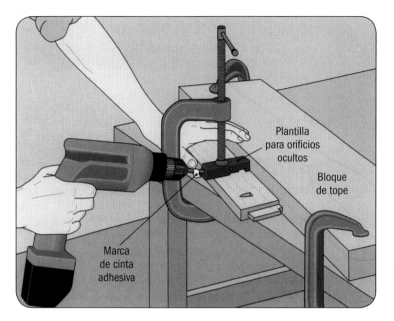

Plantilla
para orificios
ocultos

Bloque
de tope

Marca
de cinta
adhesiva

Orificios ocultos

Use un taladro para perforar orificios en dos pasos, con dos brocas tipo Brad diferentes: una ligeramente mayor que el diámetro de las cabezas de los tornillos (de modo que estos puedan ocultarse) y otra que sea un poco más grande que el cuerpo del tornillo (para darle un poco de movimiento). Fije un bloque de tope a una superficie de trabajo, e instale la primera broca en el taladro. Enrolle una tira de cinta adhesiva alrededor de la broca para marcar la profundidad de perforación. Tope el canto superior de un travesaño para gabinete contra el bloque de tope, con la cara interna hacia arriba, y fije una plantilla de tipo comercial para hacer orificios ocultos cerca de uno de sus extremos. Sosteniendo firmemente el travesaño, perfore el orificio, y deténgase cuando la tira de cinta toque la plantilla. Vuelva a colocar la plantilla para perforar otro orificio en medio del travesaño (véase la figura), y un tercero cerca del otro extremo. Después, instale la segunda broca en el taladro y perfore los orificios de paso en la misma forma.

CAPÍTULO 6

Reparación y renovación

Las brocas adecuadas le ayudarán a simplificar con su taladro los proyectos de reparación

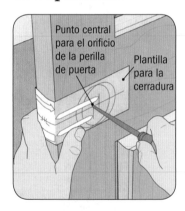

Punto central para el orificio de la perilla de puerta

Plantilla para la cerradura

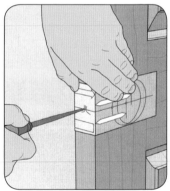

Cómo trazar la cerradura

Las cerraduras suelen venir con una plantilla para marcar los orificios que usted deberá perforar para instalar el ensamble del pestillo y las perillas. Comience marcando la altura de las perillas en la puerta —generalmente, esto se hace a 36 pulgadas del piso—. Luego, pegue la plantilla sobre su marca. Utilice un punzón para marcar el punto para la perilla en la cara de la puerta (véase la figura de la izquierda; ya sea a 2⅜ o a 2¾ pulgadas del borde de la puerta, dependiendo del modelo de cerradura), y después marque el punto central para el orificio del ensamble del pestillo sobre el canto de la puerta (véase la figura de la derecha).

PERFORACIÓN PARA LA CERRADURA

Sacabocados

Instale una broca sacabocados en su taladro eléctrico; consulte la plantilla de la cerradura para identificar el diámetro correcto. La broca sacabocados que se muestra arriba tiene una broca guía central. Coloque la punta de esta broca guía en la marca de punzón que hizo en el paso anterior; luego, taladre la puerta hasta que la broca guía salga por el otro lado. Mantenga el taladro perpendicular a la puerta en todo momento. Ahora muévase al otro lado de la puerta, inserte la broca guía central en la pequeña abertura que hizo en la puerta y concluya el orificio. Perforar el orificio en dos pasos evitará que la madera de la puerta se astille.

ORIFICIO PARA EL PESTILLO DE LA CERRADURA

Broca de espada

Remplace la broca sacabocados por una broca de espada; nuevamente, consulte la plantilla para conocer el diámetro de broca más adecuado. Coloque la punta de la broca en la marca de punzón, y taladre el orificio, manteniendo el taladro perpendicular al canto de la puerta (véase la figura). En el caso de una puerta angosta, puede fijar bloques de madera en las caras de la puerta y en cada uno de los lados del orificio para evitar que la madera se parta. Deje de perforar cuando llegue al orificio de la manija. Algunas cerraduras precisan que esta perforación rebase el orificio de la perilla de la puerta para su libramiento o paso.

COLOCACIÓN DEL PESTILLO

Placa frontal del pestillo

Deslice el ensamble de la placa del pestillo en el orificio que perforó sobre el canto de la puerta, y coloque la placa frontal a ras contra el canto. Sosteniendo la placa frontal bien escuadrada, trace su contorno con un lápiz.

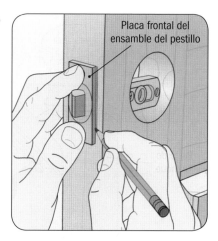

Placa frontal del ensamble del pestillo

Instalación del pestillo

Use un formón para cortar una caja de poca profundidad dentro del contorno que usted marcó previamente. Marque los orificios de los tornillos con un punzón. Taladre un orificio guía en cada marca. Deslice el ensamble del pestillo en el orificio y atornille la placa frontal al canto de la puerta.

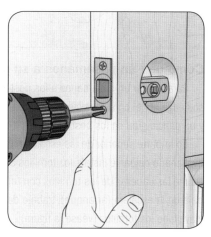

PASAMANOS

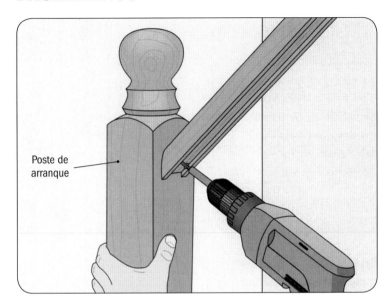

Poste de arranque

Cómo unir un pasamanos a su poste

Para sujetar un pasamanos a los postes mediante el uso de tornillos, sostenga el riel en su posición y haga un orificio de paso a través del riel y un orificio guía en los postes.

En la parte superior de las escaleras (desembarco), taladre orificios para avellanar o cajear, e instale los tornillos a través de la cara superior del riel. Oculte las cabezas de los tornillos con tapones de madera. En la sección baja de la escalera (arranque), trabaje desde la parte inferior del riel y avellane los tornillos (véase la figura).

PASAMANOS *(Continuación)*

Cómo unir un pasamanos a la pared

Corte el pasamanos a la medida. El modelo que se muestra a la derecha tiene un retorno que sirve como un recordatorio táctil para las personas con discapacidad visual de que están llegando a la parte superior o inferior de las escaleras. Ubique todos los postes internos de la pared de la escalera.* Luego, coloque el pasamanos flotante contra la pared paralela al otro pasamanos, y marque en el pasamanos flotante la ubicación de los postes internos de la pared.

Atornille soportes para pared de tipo comercial en la parte inferior del riel (véase la figura de arriba), justo en las marcas de ubicación de los postes y en los intervalos establecidos por su código de construcción local. Vuelva a colocar el pasamanos flotante en la pared, marque los orificios para los tornillos, haga los orificios guía en la pared, y fije el riel en su lugar (véase la figura de abajo).

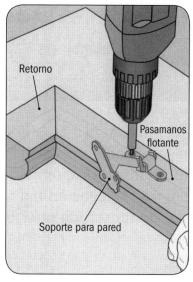

Retorno

Pasamanos flotante

Soporte para pared

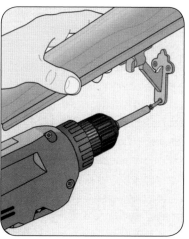

Pasamanos

* En casas de armazón de madera [*N. del E.*].

CAPÍTULO 7

Taladro estacionario o de columna

Originalmente diseñado para los oficios relacionados con el trabajo en metales, el taladro estacionario ha encontrado un segundo hogar en los talleres de carpintería, donde ha tenido muy buena aceptación.

Imagínese tratando de perforar orificios exactos sin este equipo, y piense en cuán esencial resulta en labores de alta exigencia, como la ebanistería.

El taladro estacionario o de columna también funciona como una lijadora y mortajadora* y, sin embargo —pese a su versatilidad—, ocupa solo unos pies cuadrados del taller y es relativamente económico. Muchos expertos consideran que esta máquina representa una adquisición inteligente de aquellos carpinteros que cuentan con espacio y presupuesto limitados.

Una característica que distingue al taladro de columna de otros equipos de carpintería es su velocidad variable. El rango para un motor típico de ½ caballo de potencia (hp) se

Aunque el taladro de columna se utiliza principalmente para hacer perforaciones, también puede realizar otras labores de carpintería, como lijar superficies curvas.

*También conocida como escopleadora o limadora vertical [*N. del E.*].

amplía de las 400 a las 4500 revoluciones por minuto (rpm) de su eje o husillo. Esta capacidad para variar la velocidad le permite perforar con la misma eficacia tanto las maderas blandas como las rígidas, con un rango de grosores que van desde una fracción de pulgada hasta las 3 o 4 pulgadas.

Como regla general, cuanto más grueso es el material o cuanto mayor es el diámetro de la broca, menor es la velocidad.

Algunos taladros de columna tienen una perilla que permite hacer innumerables ajustes de velocidad. En otros equipos, las velocidades se establecen cambiando una banda a diferentes pasos en dos poleas.

Los taladros de columna se clasifican de acuerdo con la distancia que hay del centro del mandril a la columna, un factor que determina cuál es la pieza de trabajo más grande que un equipo de este tipo es capaz de manejar. Así, un taladro de columna de 15 pulgadas puede hacer un orificio en el centro de una pieza de trabajo que tenga 15 pulgadas de diámetro. La distancia del mandril a la columna es la mitad de ese diámetro, es decir, 7½ pulgadas.

La mayoría de los taladros de columna para un taller doméstico se ubica en el rango de las 11 a las 16 pulgadas, y funciona con motores de ½ a ¾ de caballo de potencia.

Equipado con las plantillas y los accesorios adecuados, el taladro de columna puede perforar una variedad de orificios con una precisión que no logran las herramientas manuales. Como aquí se observa, una plantilla elaborada en el taller permite a un carpintero perforar una serie de orificios angulados en un riel. Los orificios alojarán y ocultarán los tornillos que conectan el riel a un tablero.

CÓMO ELEGIR UN TALADRO DE COLUMNA

Los taladros de columna se venden en diferentes modelos y tamaños, pero el diseño básico es el mismo: una columna de acero de alrededor de 3 pulgadas de diámetro sirve como una columna vertebral para soportar una mesa y un motor que impulsa a un eje o husillo. El eje estándar está unido a un mandril engranado de una capacidad de ½ pulgada, cuyas mordazas sujetan el mango de una broca o el de una variedad de accesorios de hasta ½ pulgada de diámetro. Otros ejes permiten que el taladro de columna acepte fresas de router, cuchillas para molduras y accesorios para hacer cajas (por ejemplo, brocas para escoplos). La columna se sostiene en posición vertical gracias a una pesada base, que generalmente es de hierro fundido, aunque también puede atornillarse al piso del taller.

Los dos tipos más comunes de taladros de columna son el modelo de piso y el modelo de banco, que se distinguen por la longitud de la columna. Debido a que la mesa de un taladro puede posicionarse a cualquier altura a lo largo de su columna, los modelos de piso pueden manejar piezas de trabajo más largas. No obstante, usted puede —hasta cierto grado— superar las limitantes de un modelo de banco girando la cabeza del equipo. Con el eje extendido más allá del borde del banco de trabajo, la longitud efectiva de la columna será, entonces, la distancia que hay desde el mandril hasta el piso del taller.

Aunque la mayoría de los taladros de columna tienen mesas reclinables, un taladro de columna de brazo radial tiene un cabezal que gira más de 90° a la derecha y a la izquierda. Estas herramientas pueden hacer trabajos que resultan imposibles de efectuar con taladros convencionales, incluida la perforación del centro de un círculo de 32 pulgadas de diámetro.

ANATOMÍA DE UN TALADRO DE COLUMNA

Guarda protectora de la banda
Cuida los dedos del operador de las bandas giratorias

Palanca de tensión de la banda
Desliza el motor a lo largo del riel para aflojar o tensar las bandas

Perilla de bloqueo de tensión de la banda
Bloquea el motor en su posición una vez que se ha fijado la tensión de la banda

Interruptor de encendido y apagado
La palanca removible evita un arranque accidental del equipo

▲DELTA

Pínola o vaina
Casquillo móvil que va unido al eje y al mandril; el recorrido de la pínola determina la profundidad máxima de perforación, generalmente de 4 pulgadas

Eje Un husillo o flecha que se acciona por medio del motor y que va unido al mandril portabroca

Mandril
Sujeta la broca y los accesorios de perforación; se aprieta con una llave dentada

Mesa
Se eleva y desciende para acomodar la pieza de trabajo y determinar la profundidad de perforación; la mayoría de las mesas puede inclinarse hasta 45° a la izquierda y a la derecha para taladrar orificios angulados

Manija para el ajuste de la altura de la mesa

Mango de bloqueo de rotación de la mesa
Permite girar la mesa sobre su eje para colocar la pieza de trabajo debajo del husillo

Manija de bloqueo del tope de profundidad
Ajusta la profundidad de perforación; cuando se bloquea, evita que la pínola descienda más allá de un punto establecido

Palanca de alimentación
Baja la pínola; el muelle helicoidal ajustable regresa automáticamente la palanca a su posición original

Bloqueador de la mesa
Sujeta la mesa en una posición fija en la columna

Columna
Soporta la mesa y el cabezal del taladro

SEGURIDAD

Como cualquier herramienta eléctrica estacionaria, el taladro de columna tiene que mantenerse bien ajustado para operar correctamente. Antes de encender cualquier máquina, revísela con cuidado. Asegúrese de que todas las tuercas y perillas de bloqueo estén bien apretadas. Incluso si usted compró un equipo nuevo, no hay garantía de que esté perfectamente listo para funcionar. Verifique con cierta regularidad que la mesa esté escuadrada al eje.

También hay ajustes que deben realizarse dependiendo del tipo de trabajo que vaya a efectuar, empezando por la velocidad de perforación. La velocidad se ajusta girando una perilla o bien cambiando la posición de la banda —o de las bandas— que conecta(n) la polea del motor a la polea del eje.

Aunque el taladro de columna tiene la reputación de una máquina "segura", puede llegar a ocurrir un accidente con este equipo. A diferencia de la sierra de mesa, un taladro de columna no dará golpes de retroceso, pero sí puede aventar alguna pequeña pieza de trabajo si el material no está bien fijo. Por eso, siempre utilice protección para los ojos.

Cómo elegir –o elaborar– la prensa adecuada

Para evitar que la broca agarre la pieza de trabajo y la gire de manera incontrolable, fije bien las piezas pequeñas o irregulares en la mesa antes de perforarlas.

Cuando una sujeción convencional no funciona —como sucede con el cilindro que se muestra en la figura—, improvise. Recorte en un sargento de cárcel dos cuñas opuestas con forma en V, y fije el cilindro en el sargento; luego, use prensas o sargentos en C (también llamados nodulares) para asegurar el sargento de cárcel en la mesa.

CONFIGURACIÓN

Los taladros de columna son conocidos como máquinas de batalla que rara vez —si acaso— requieren mantenimiento. No obstante, pueden desalinearse con la misma facilidad que cualquier otra herramienta eléctrica estacionaria.

La mayoría de los problemas del taladro de columna se presenta en el mandril y en la mesa. Una mesa que no esté escuadrada al eje es el inconveniente más habitual, y se corrige fácilmente. La desviación o juego es, en cambio, uno de los problemas más serios, y puede trasladarse al eje o al mandril. Si la falla se encuentra en el eje, a menudo puede arreglarse con solo golpear el eje con un martillo, para enderezarlo. Si el mandril está defectuoso, debe quitarse y cambiarse.

No pase por alto las bandas y las poleas del taladro de columna en su rutina de mantenimiento.

Verifique el desgaste de las bandas y siempre manténgalas bien tensas.

Revise periódicamente los baleros en las poleas, y remplácelos si están desgastados.

Polea del eje
Gira al eje; cuenta con varios niveles para brindar diferentes velocidades

Banda
Transfiere la potencia de la polea del motor a la polea de trasmisión (otra banda transfiere la potencia de la trasmisión a la polea del eje)

Polea de trasmisión
Polea intermedia que se conecta a la polea del eje para aumentar el rango de velocidades; se impulsa con la polea del motor

Polea del motor
Se acciona por medio del motor, y se conecta con una banda para impulsar la polea de trasmisión. Cuenta con diferentes niveles para proporcionar varias velocidades

Configuración

VELOCIDAD DE PERFORACIÓN

Afloje la perilla de bloqueo de tensión de la banda y gire la palanca de tensión en sentido contrario a las manecillas del reloj, para mover el motor hacia la polea del eje y aflojar las bandas. Para configurar las revoluciones por minuto (rpm), posicione cada banda en los niveles correctos de las poleas, teniendo cuidado de no pellizcarse los dedos (consulte la tabla de velocidades de perforación dentro de la guarda protectora de la banda). Para definir la tensión de la banda, gire la palanca de tensión en sentido de las manecillas del reloj mientras presiona la banda conectada a la polea del motor, hasta que se flexione o doble alrededor de 1 pulgada. Apriete, entonces, la perilla de bloqueo de tensión de la banda.

La velocidad de muchos taladros de columna se modifica mediante un sistema de bandas y poleas que se aloja en la parte superior del equipo. Estos taladros de columna tienen una palanca que afloja las bandas para cambiarlas y las ajusta para establecer la tensión correcta.

CÓMO ESCUADRAR LA MESA

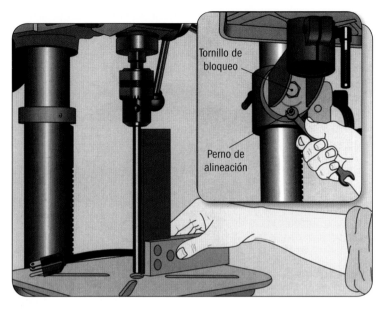

Tornillo de bloqueo

Perno de alineación

Instale una varilla de acero de 8 pulgadas de largo en el mandril, tal como lo haría con una broca; luego, eleve la mesa hasta que casi toque la varilla. Tope una escuadra de verificación contra la varilla, como se muestra: la hoja de la escuadra debe descansar a ras contra la varilla (véase la figura superior). Si hubiese algún espacio entre una y otra, retire el perno de alineación que está debajo de la mesa con una llave española (véase la figura del recuadro). Afloje, además, el tornillo de bloqueo. Gire la mesa para hacer que la varilla quede a ras contra la escuadra; después, apriete nuevamente el tornillo de bloqueo (dado que los orificios para el perno de alineación ahora se compensarán, no vuelva a instalar el perno; el tornillo de bloqueo será suficiente para sostener la mesa en su lugar de manera segura).

CÓMO VERIFICAR LA ALINEACIÓN

Para verificar si la mesa está escuadrada al eje, realice un doblez de 90° en cada uno de los extremos de una percha de alambre de 12 pulgadas de largo. Inserte uno de los extremos del alambre en el mandril y ajuste la altura de la mesa hasta que el otro extremo del alambre apenas toque la mesa. Gire el alambre; deberá raspar ligeramente la mesa en todos los puntos durante la rotación.

De lo contrario, remueva el perno de alineación que está debajo de la mesa, afloje el tornillo de bloqueo y gire la mesa para escuadrarla. Apriete nuevamente el tornillo de bloqueo.

Un medidor de carátula de base magnética verifica la excentricidad del eje de un taladro de columna; es decir, la cantidad de oscilación que el eje trasmite a una broca o accesorio. Para obtener una perforación precisa, la desviación no deberá exceder el 0.005 de pulgada. Si lo hace, remplace o repare el eje.

REMOCIÓN DEL MANDRIL PORTABROCAS

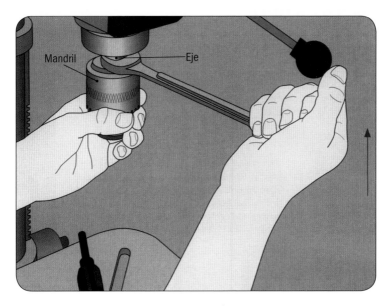

Mandril | Eje

Los mandriles suelen estar unidos a la pínola de un taladro de columna mediante un eje o husillo cónico (los modelos más antiguos tienen, por lo general, mandriles que simplemente se enroscan en su sitio). Para quitar un mandril defectuoso que tenga un eje cónico, baje la pínola y bloquee esta posición. Coloque una llave española alrededor del eje y en la parte superior del mandril, y dele a la llave un fuerte golpe ascendente (véase la figura). El mandril deberá deslizarse hacia fuera. Si no lo hace, gire el eje, e inténtelo de nuevo. Para volver a montar el mandril, insértelo con la mano en el eje. Luego, con sus mordazas completamente retraídas, dele un fuerte golpe con un mazo de carpintero.

CÓMO CAMBIAR UNA BROCA DE TALADRO

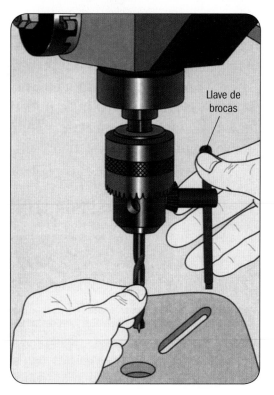

Llave de brocas

Para quitar una broca, use la llave de brocas para aflojar las mordazas mientras sujeta la broca con la otra mano; luego, saque la broca del mandril. Para instalar una broca, abra las mordazas tanto como sea necesario; inserte, ahora, el mango de la broca en el mandril. Sosteniendo la broca para centrarla en las mordazas del mandril, apriete este último con la mano. Termine de apretar usando la llave de brocas (véase la figura), ajustándola en cada uno de los orificios del mandril. Retire la llave de brocas.

REPISA PARA ACCESORIOS

A fin de ahorrar tiempo buscando las llaves para el mandril y las brocas del taladro, hágase una repisa para su almacenamiento. Corte dos piezas idénticas en forma de ojo de cerradura de triplay de ¾ de pulgada a las dimensiones que aquí se muestran. Use una sierra de sable o una segueta para recortar un círculo de cada pieza, del mismo diámetro de la columna de su taladro.

Luego, corte una de las piezas por su mitad longitudinal, para que sirva como soporte de la plantilla. La otra pieza será la parte superior de la plantilla; córtela a través de la sección circular. Haga seis orificios para tornillos que le permitan unir la parte superior a sus soportes. Después, haga orificios en la superficie de trabajo de la plantilla para que pueda insertar sus brocas y accesorios por el mango (véase la figura inferior).

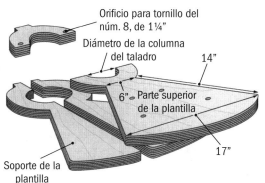

Orificio para tornillo del núm. 8, de 1¼"

Diámetro de la columna del taladro

14"

6" Parte superior de la plantilla

17"

Soporte de la plantilla

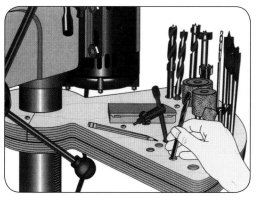

Asegúrese de que la plantilla gire, de modo que no obstruya la rotación de la palanca de la pínola o vaina del taladro.

CAPÍTULO 8

Cómo operar un taladro estacionario

Equipado con su mesa reclinable, el taladro de columna puede perforar orificios prácticamente en cualquier ángulo. No obstante, cuanto más pronunciado sea el ángulo, más difícil será para una broca de tres puntas o una broca helicoidal perforar el material sin patinarse. Elija una broca Forstner o una broca sacabocados (de puntas múltiples) cuando perfore orificios en un ángulo muy pronunciado; estos accesorios de corte tienen bordes guía que permiten penetrar el material con mayor limpieza.

Antes de perforar, asegúrese de que la broca se alinee al orificio de la mesa. De lo contrario, corre el riesgo de dañar no solo la broca, sino también la mesa. La mayoría de los carpinteros fijan una pieza de madera adicional en la mesa del taladro de columna.

Para obtener buenos resultados usted deberá encontrar la mejor combinación posible entre la velocidad de perforación y la presión de alimentación —es decir, el ritmo con el que deberá bajar la broca sobre el material—. Demasiada velocidad o presión puede ocasionar marcas de quemaduras en la pieza de trabajo y en la broca; una velocidad muy baja acabará con el filo de la broca. Con la combinación adecuada, usted podrá cortar a ritmo constante y sin tener que presionar excesivamente la palanca de alimentación de la pínola.

PROFUNDIDAD DEL ORIFICIO

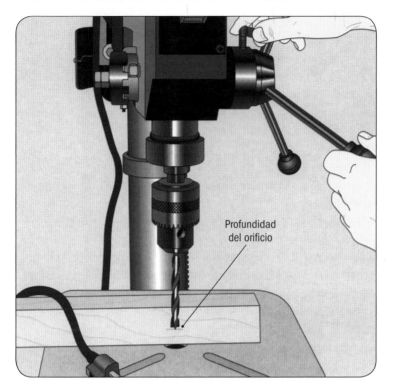

Profundidad
del orificio

Para hacer un orificio interrumpido o ciego (esto es, un orificio que no atraviesa completamente la pieza de trabajo), marque en el borde del material una línea de profundidad deseada para el orificio. Después, baje la pínola hasta que la punta de la broca llegue a la línea marcada. Sostenga la pínola firmemente con una mano y, para el modelo que se muestra en la figura, afloje la manija de bloqueo del tope de profundidad con la otra mano. Gírela en sentido contrario a las manecillas del reloj tanto como se pueda (véase la figura). Luego, apriete la manija. Esto evitará que el taladro de columna perfore más allá de la marca de profundidad.

PLANTILLA ESPACIADORA

Para perforar una hilera de orificios uniformemente espaciados, haga una plantilla en el taller para sistematizar la tarea, siguiendo las dimensiones que se mencionan en la figura. Atornille la defensa

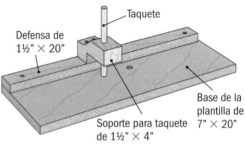

Taquete

Defensa de 1½" × 20"

Soporte para taquete de 1½" × 4"

Base de la plantilla de 7" × 20"

en la base de la plantilla, a ras con uno de sus bordes; luego, fije un bloque de madera en el centro de la defensa, de modo que sirva como un soporte para el taquete.

Para usar la plantilla, colóquela sobre la mesa de su taladro de columna, y marque los puntos de inicio en la pieza de trabajo para los primeros dos orificios de la serie. Asiente la pieza de trabajo contra la defensa de la plantilla, y posicione la plantilla para alinear la broca (preferentemente de tipo Forstner) sobre la primera marca de perforación. Tope un bloque guía contra la parte posterior de la plantilla y fíjelo en la mesa. Si usted perfora orificios ciegos, establezca la profundidad de perforación (véase la figura inferior). Haga el primer orificio, deslice la plantilla a lo largo del bloque guía, y haga un orificio a través del soporte para el taquete. Coloque un taquete a través del orificio del soporte y en el orificio de la pieza de trabajo. Cambie la pieza de trabajo de modo que pueda insertar el taquete en este nuevo orificio, y haga el siguiente orificio de la serie. Deslice la plantilla a lo largo del bloque guía, hasta que la segunda marca en la pieza de trabajo quede alineada debajo de la broca. Fije la plantilla en la mesa y perfore el orificio.

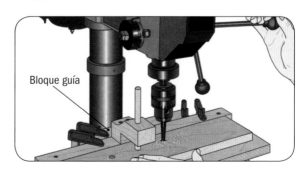

Bloque guía

ORIFICIOS PROFUNDOS

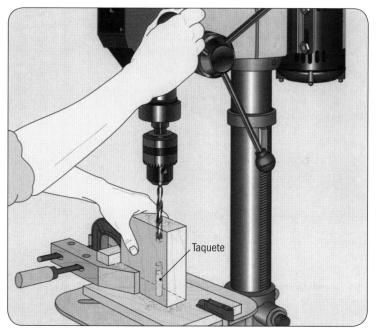

Taquete

La longitud máxima que puede alcanzar la pínola (y que se conoce como *carrera de la pínola*) limita a la mayoría de los taladros de columna para perforar a más de 4 pulgadas de profundidad. Para hacer un orificio más profundo, use una broca de extensión o, si el orificio es menor del doble de la carrera de la pínola, realice la operación en dos etapas, como se muestra en la figura. Primero, fije una tabla residual en la mesa del taladro de columna, y perfore un orificio guía en ella. Luego, sujete la pieza de trabajo en la tabla, y taladre en ella tan profundamente como lo permita la carrera de la pínola. Retire la pieza de trabajo y coloque un taquete en el orificio guía en la tabla residual. Coloque el orificio en la pieza de trabajo sobre el taquete, y taladre la pieza de trabajo desde el otro lado. El taquete asegura que los dos orificios en la pieza de trabajo estén perfectamente alineados.

ORIFICIOS ANGULADOS

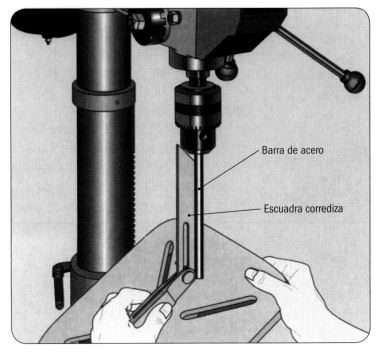

Barra de acero

Escuadra corrediza

Instale una varilla de acero de 8 pulgadas de largo en el mandril, tal como lo haría con una broca. Luego, use un transportador para establecer el ángulo de perforación que usted necesita en una escuadra corrediza. Afloje la mesa de la misma forma en que lo haría para escuadrarla (página 61). A continuación, tope la escuadra corrediza contra la varilla, y gire la mesa hasta que descanse a ras del mango de la escuadra (véase la figura). Quite la varilla del mandril y apriete el tornillo de bloqueo. Después de instalar la broca, determine la profundidad de perforación (página 67) para evitar que la broca llegue a la mesa. Para tener una mayor protección, fije una pieza residual de madera en la mesa.

PLANTILLA RECLINABLE PARA LA MESA DEL TALADRO

Para perforar orificios angulados sin inclinar la mesa, utilice una plantilla reclinable, elaborada en el taller con triplay de ¾ de pulgada.

Consulte la figura de la derecha para conocer las medidas. Una la parte superior de la plantilla a la base con dos robustas bisagras,

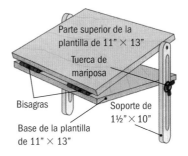

Parte superior de la plantilla de 11" × 13"

Tuerca de mariposa

Bisagras

Soporte de 1½" × 10"

Base de la plantilla de 11" × 13"

colocadas a tope. Corte una ranura de ½ pulgada de ancho en los soportes; luego, atornille cada soporte en la parte superior. Asegúrelos a la base con tuercas de mariposa y tornillos de doble rosca.

Para usar la plantilla, céntrela debajo del eje. Fije la base en la mesa. Afloje las tuercas de mariposa y defina el ángulo tal como lo haría con la mesa, pero sin quitar el perno de alineación ni aflojar el tornillo de bloqueo de la mesa. Apriete las tuercas de mariposa, fije la pieza de trabajo a la plantilla, y taladre (véase la figura inferior).

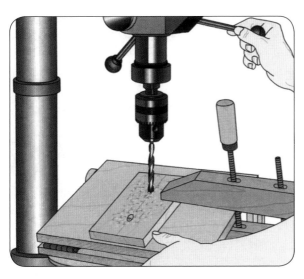

Plantilla reclinable para la mesa del taladro

Bloque en V

BLOQUE EN V

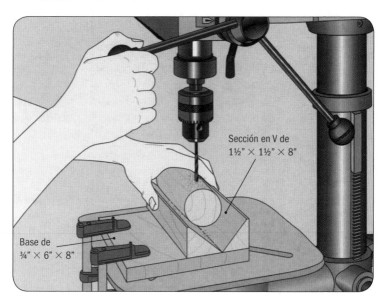

Sección en V de
1½" × 1½" × 8"

Base de
¾" × 6" × 8"

La manera más segura de perforar un cilindro es asegurarlo en una plantilla de bloque en V, que usted mismo puede elaborar. Haga la sección en V de la plantilla a partir de un chaflán cortado a lo largo de una pieza de madera de 2" × 2", utilizando una sierra de mesa o una sierra de cinta. Luego, atornille las dos piezas cortadas en la base para formar una V. Coloque la plantilla sobre la mesa de modo que la broca toque el centro de la V cuando la pínola baje en toda su extensión.

Fije la base de la plantilla en la mesa, asiente la pieza de trabajo en la plantilla, y taladre el orificio (véase la figura).

CORTADOR DE TAQUETES

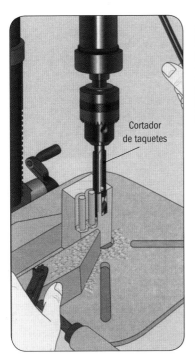

Cortador de taquetes

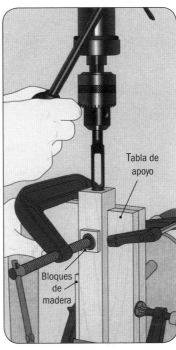

Tabla de apoyo

Bloques de madera

Para cortar taquetes, fije un bloque de madera en la mesa, y taladre en su extremo veteado a la profundidad requerida con un cortador de taquetes (véase la figura de la izquierda). Libere los taquetes cortando el bloque con una sierra de mesa o una sierra de cinta. Si va a utilizar los taquetes en uniones y en ebanistería, estreche sus extremos con las mordazas dentadas de unas pinzas, esto brindará al pegamento una ruta de salida y asegurará su correcta distribución en la junta.

Para cortar una espiga estructural en una pieza de trabajo larga, incline la mesa 90° y fije la pieza de trabajo en la mesa, utilizando bloques de madera para proteger el material. También fije una tabla de apoyo en la pieza de trabajo y en la mesa. Use un cortador de taquetes para perforar a la profundidad requerida (véase la figura de la derecha); luego, corte el material sobrante para liberar la espiga.

Cortador de taquetes

PLANTILLA PARA ORIFICIOS OCULTOS

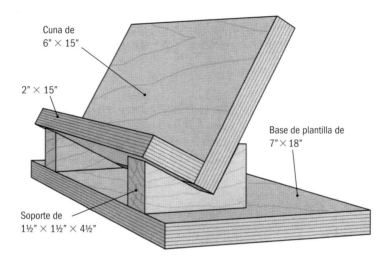

Cuna de
6" × 15"

2" × 15"

Base de plantilla de
7" × 18"

Soporte de
1½" × 1½" × 4½"

Los orificios ocultos se utilizan comúnmente con tornillos para unir los travesaños a la parte superior de una mesa. Están perforados en ángulo y resuelven el problema de tener que atornillar directamente un travesaño de 3 o 4 pulgadas de ancho. Una plantilla para orificios ocultos, fabricada en el taller con triplay de ¾ de pulgada, facilita dichas aberturas. Elabore la plantilla atornillando los dos lados de la cuna para formar una L. Después, corte una cuña de 90° en cada soporte, de modo que el lado ancho de la cuna se asiente en un ángulo de aproximadamente 15° con respecto a la vertical. Atornille los soportes a la base de la plantilla, y pegue la cuna en los soportes.

Para usar la plantilla, asiente la pieza de trabajo en la cuna, con el lado que se perforará hacia fuera. Haga los orificios en dos pasos con dos brocas diferentes: use una broca Forstner del doble del ancho de las cabezas de los tornillos, para hacer los orificios de entrada, y una broca de tres puntas (Brad) que sea ligeramente más ancha que el vástago de los tornillos, para hacer los orificios de salida (esta broca de tres puntas más ancha favorece la expansión y la contracción de la madera).

PLANTILLA PARA ORIFICIOS OCULTOS

(*Continuación*)

Para iniciar el proceso, instale la broca de tres puntas y, con la máquina apagada, baje la broca con la palanca de alimentación; luego, tope el extremo de la pieza de trabajo contra la broca. Posicione la plantilla para alinear la broca con el centro del borde inferior de la pieza de trabajo (véase la figura del recuadro). Fije la plantilla en la mesa y remplace la broca de tres puntas por la broca Forstner. Sosteniendo la pieza de trabajo firmemente en la plantilla, alimente la broca de manera gradual para perforar los orificios con la profundidad suficiente para ocultar las cabezas de los tornillos. Luego, instale la broca de tres puntas y perfore la pieza de trabajo para concluir los orificios ocultos.

AMORTAJADO

La unión de caja y espiga se usa comúnmente para unir travesaños y patas en escritorios, mesas y sillas. Al igual que la mayoría de los ensambles, la caja y la espiga pueden cortarse a mano. Pero para obtener una mayor facilidad y eficacia en el tallado de cajas, el taladro de columna equipado con un accesorio para cortar mortajas se ha convertido en la herramienta por elección. El accesorio consiste en una broca que gira dentro de un escoplo de forma cuadrada. La broca corta un orificio redondo; luego, el escoplo golpea las esquinas en escuadra. La espiga de acoplamiento puede cortarse fácilmente en una sierra de mesa.

Los escoplos vienen en tamaños diferentes para cortar cajas en una amplia variedad de anchuras. La profundidad se establece con el limitador de profundidad del taladro de columna; lo común es ⅞ de pulgada. Es importante asegurarse de que el accesorio esté ajustado para mantener la pieza de trabajo escuadrada al escoplo.

La velocidad de perforación para amortajar depende tanto del tipo de material como del tamaño del escoplo. Cuanto más grande sea el escoplo, más lenta será la velocidad, en especial cuando va a perforarse madera rígida.

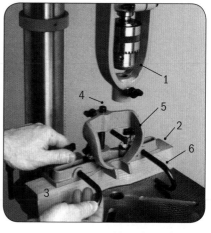

Un accesorio para amortajado consiste en un soporte de escoplo (1) que está asegurado a la pínola del taladro de columna mediante pernos de máquina, en la parte superior del soporte. Los tornillos, las arandelas y las tuercas de mariposa sostienen la defensa (2) y el soporte de sujeción (3) en su lugar sobre la mesa. La barra vertical (4) soporta el brazo de sujeción (5), el cual, junto con las varillas de sujeción (6), ayuda a sostener la pieza de trabajo firmemente contra la defensa.

AMORTAJADO (*Continuación*)

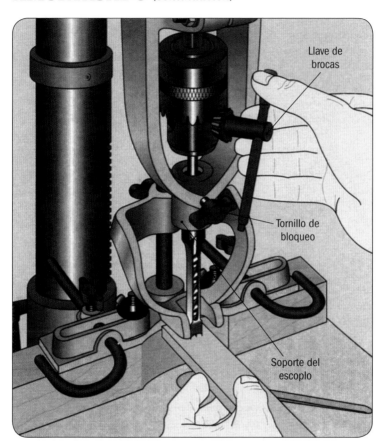

Llave de
brocas

Tornillo de
bloqueo

Soporte del
escoplo

Cómo determinar la separación

Inserte el escoplo en su soporte y apriete el tornillo de bloqueo. Empuje la broca hacia arriba, a través del escoplo y dentro del mandril. Con un pedazo de madera, sostenga la punta de la broca nivelada con la parte inferior del escoplo; luego, baje la broca $\frac{1}{32}$ de pulgada. Esto asegura la separación adecuada entre la punta de la broca y las puntas del escoplo. Apriete las mordazas del mandril.

AMORTAJADO (Continuación)

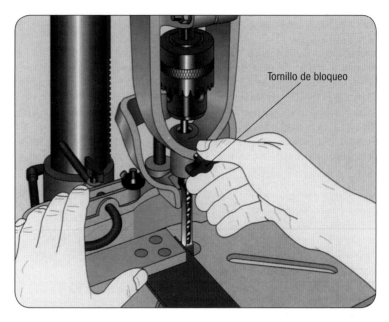

Tornillo de bloqueo

Ajuste del escoplo

El escoplo debe estar escuadrado con respecto a la defensa del accesorio de amortajado; de lo contrario, las cajas que usted corte estarán en un ángulo descentrado, y esto producirá uniones mal ajustadas.

Para asegurarse de que el escoplo esté bien alineado, apoye una escuadra de verificación contra la defensa y el escoplo. La escuadra debe descansar a ras contra ambos. Si no lo hace, afloje el tornillo de bloqueo del soporte del escoplo lo suficiente para que usted pueda girar el escoplo y llevarlo a ras contra la escuadra.

No levante ni baje el escoplo mientras realiza el ajuste. Apriete el tornillo de bloqueo.

AMORTAJADO *(Continuación)*

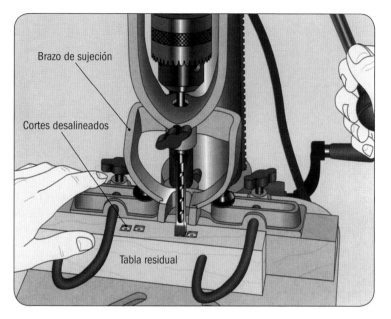

Brazo de sujeción

Cortes desalineados

Tabla residual

Corte de la caja o mortaja

Perfile la caja en la pieza de trabajo, centrando las marcas entre los bordes del material. Para verificar que el escoplo de la caja esté centrado en la pieza de trabajo, coloque una tabla residual del mismo ancho y grosor de la pieza de trabajo contra la defensa del accesorio de amortajado, y fíjela con las varillas de sujeción. Taladre un corte superficial en la tabla. Luego, gírela y haga un segundo corte al lado del primero. Los cortes deben estar alineados; si no lo están, mueva la defensa a la mitad de la desviación que haya entre los cortes, y haga dos cortes más para repetir la prueba.

Amortajado

AMORTAJADO (*Continuación*)

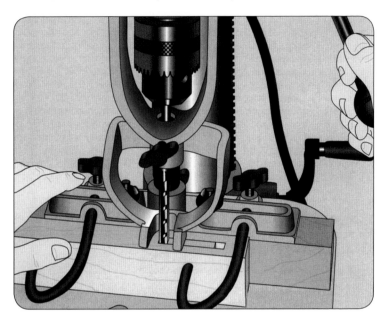

Corte de los extremos

Ajuste el brazo y las varillas de sujeción para asegurar la pieza de trabajo, de modo que también le permita deslizarse libremente a lo largo de la defensa. Si usted va a perforar una caja ciega, es decir, una que no atraviese completamente la pieza de trabajo, establezca la profundidad de perforación. Realice un corte en cada extremo de la caja planificada, empujando el escoplo y la broca con suficiente presión para que puedan tallar la madera sin mayor esfuerzo. De vez en cuando retraiga el escoplo para remover las virutas y evitar el sobrecalentamiento.

AMORTAJADO (Continuación)

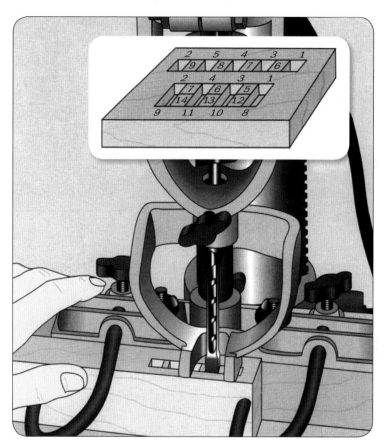

Secuencia de cortes

Haga una serie de cortes escalonados para concluir la caja o mortaja. Siga la secuencia que se muestra en la figura del recuadro: haga una sola fila de cortes si usted va a utilizar un escoplo del mismo ancho que el de la caja, o dos hileras paralelas si la caja es demasiado ancha para cortarse en una sola pasada. En este último caso, use un escoplo ligeramente más ancho que la mitad de la anchura de la caja.

LIJADO

Los taladros de columna son excelentes lijadoras. La mesa de la máquina proporciona un buen soporte para la pieza de trabajo, al sostenerla a 90° del tambor de lijado para producir bordes lisos y escuadrados con las superficies adyacentes. Y con la ayuda de algunas plantillas simples, el taladro de columna puede lijar no solo superficies rectas, sino también áreas curvas.

Los tambores para lijar vienen en diámetros que van de ½ a 3 pulgadas. El eje de un tambor se inserta en las mordazas del mandril y se asegura de la misma forma en que se instalan las brocas. Las fundas o mangas de lijado para cubrir el tambor están disponibles en una variedad de granos: desde un grano grueso 40 a un grano fino 220. En la mayoría de los casos, las fundas se cambian aflojando una tuerca en la parte superior o inferior del tambor, la cual reduce la presión y libera el papel de lija. Retire la funda vieja y deslice la nueva. Al apretar la tuerca, el tambor se expande y sujeta la funda con firmeza.

Tal como sucede con las operaciones de perforación estándar, el lijado requiere diferentes velocidades dependiendo del trabajo a realizar. Cuanto más alto sea el número de revoluciones por minuto (rpm), más suave será el acabado, pero las altas velocidades también desgastarán más rápido sus fundas. La mayor parte del lijado se efectúa entre las 1200 y las 1500 rpm. Dado que el lijado produce polvo fino, recuerde utilizar una máscara antipolvo.

LIJADO (Continuación)

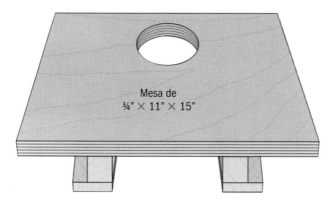

Mesa de
¾" × 11" × 15"

Mesa auxiliar de lijado

Los tambores para lijado de más de ⅞ de pulgada de diámetro son demasiado grandes para ajustarse a través del orificio de la mayoría de las mesas de taladro de columna. Para aprovechar al máximo la superficie de lijado de los tambores más grandes, construya una mesa como la que se muestra arriba. Use una sierra caladora, una sierra de sable o un taladro eléctrico equipado con una broca sacabocados para hacer un

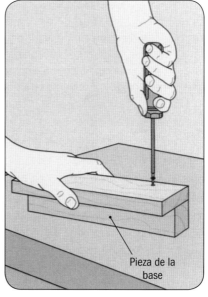

Pieza de la base

orificio en la parte superior del triplay, centrando la abertura a 3 pulgadas de la parte posterior de la mesa. Atornille las piezas de la base en forma de L de madera de 1" × 3" y de 2" × 2"; luego, péguelas a la mesa.

LIJADO *(Continuación)*

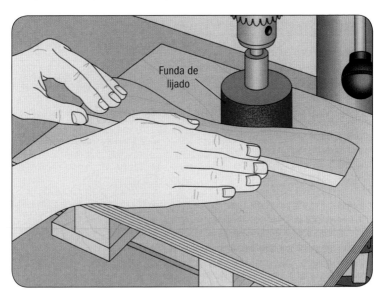

Funda de lijado

Material curvo

Fije la base de la plantilla en la mesa del taladro, con el orificio directamente debajo del tambor. Ajuste la altura de la mesa para que la parte inferior de la funda de lijado quede nivelada con la plantilla. Sujetando con firmeza la pieza de trabajo, acérquela a una velocidad uniforme en una dirección opuesta a la rotación del tambor de lijado. Para evitar que la pieza de trabajo se queme o se parta, aliméntela con un movimiento suave y continuo. A medida que las secciones de la funda de lijado vayan desgastándose, eleve la mesa del taladro para tener una superficie "fresca" que resista el sobrecalentamiento.

LIJADO (*Continuación*)

Patrón de lijado

Una plantilla de lijado con patrón, elaborada en el taller y utilizada en conjunto con la mesa auxiliar de lijado, le permitirá lijar curvas paralelas.

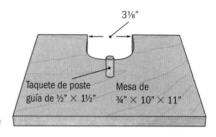

3⅛"

Taquete de poste guía de ½" × 1½"

Mesa de ¾" × 10" × 11"

Para hacer la plantilla, recorte una muesca con forma de U de la mesa de triplay, que sea del mismo tamaño que el orificio de la plantilla de la mesa de lijado. Luego, use una broca Forstner de ½ pulgada para taladrar un orificio que esté a la misma distancia de la parte inferior de la U y del ancho del material que se va a lijar. Inserte un taquete en el orificio para que sirva como poste guía.

Para usar la plantilla, fíjela en la mesa auxiliar de lijado de manera que los bordes opuestos de la pieza de trabajo descansen contra el taquete y el tambor de lijado.

Quite la pieza de trabajo; luego, encienda el taladro de columna. Acerque la pieza de trabajo lenta, pero continuamente, hacia la dirección de rotación del tambor de lijado con la mano izquierda, mientras guía la pieza con la mano derecha.

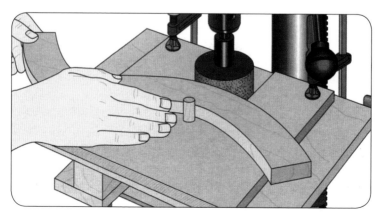

CAPÍTULO 9

Ebanistería

Los gabinetes de cocina pueden tener un aspecto profesional sin tener que contratar a un experto para instalarlos. Un taladro portátil es básico para ensamblar e instalar el gabinete

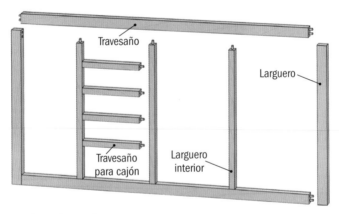

Travesaño

Larguero

Travesaño
para cajón

Larguero
interior

Bastidor frontal

Un bastidor frontal es una rejilla o marco de madera sólida que se aplica en la elaboración de gabinetes de cocina. No es esencial; de hecho, está ausente en los gabinetes de estilo europeo, cuyas bisagras ocultas y microajustables ayudan a instalar puertas que cubren, sin problema, todo el frente del gabinete. No obstante, los bastidores frontales pueden dar un aspecto tradicional a la cocina y hacer que un gabinete de triplay sea mucho más resistente.

Añada ½ pulgada adicional a los largueros que se colocan al lado de las paredes; al hacerlo, podrá trazar y recortar el larguero si la pared está fuera de nivel.

ENSAMBLE DE TAQUETE Y BARRENO

Use una plantilla o centrador de perforación para taladrar los orificios de los taquetes en los miembros del bastidor frontal.

El modelo que se muestra arriba a la derecha alinea los orificios tanto de los travesaños como de los largueros, y mantiene la broca exactamente perpendicular a la superficie de madera. Establezca el centrador al grosor del material del bastidor frontal; luego, ajuste el centrador para perforar dos orificios a ½ pulgada de cualquiera de los extremos de uno de los largueros. Inserte el casquillo que coincida con el diámetro del taquete en el carro del casquillo del centrador; coloque un limitador en la broca del taladro y ajústelo para perforar un orificio de ¹⁄₁₆ de pulgada más profundo que la mitad de la longitud de los taquetes (tenga en cuenta el grosor del centrador y del casquillo cuando haga esta medición). Fije un larguero en su banco de trabajo, y coloque el centrador sobre el larguero, alineándolo con uno de los extremos de la pieza de trabajo. Posicione el carro de casquillo en el orificio correspondiente del centrador de perforación. Sosteniendo el centrador de manera estable, taladre el orificio. Repita para perforar el segundo orificio. Ahora taladre los orificios en el extremo opuesto del larguero, en ambos extremos de todos los travesaños (véase la figura de abajo), y en cualquiera de los largueros internos que también requieran orificios para los taquetes.

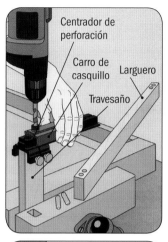

Inserte primero los taquetes en los travesaños del cajón y dentro de los largueros internos; después, hágalo en los largueros exteriores. Para insertar los taquetes, fije en su banco el miembro del bastidor adecuado, distribuya el pegamento en uno de los extremos de los taquetes, y colóquelo en su sitio golpeándolo ligeramente con un mazo de carpintero. Ensamble el bastidor.

TAPONES DE MADERA

Si usted va a instalar sus bastidores frontales con tornillos, avellane o cajee estos sujetadores, y cubra sus cabezas con tapones o clavacotes de madera. Coloque el bastidor en su lugar tal como lo haría para clavarlo; taladre y cajee los orificios para los tornillos; luego, coloque los tornillos en su sitio. Para hacer los tapones, instale en su taladro de columna un cortador de clavacote del mismo diámetro que los orificios cajeados. Elija una pieza de madera que coincida con el material del bastidor en veta y color, y realice los tapones que necesite (Véase la figura superior).

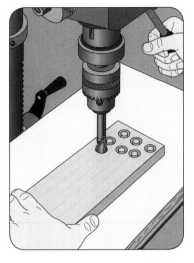

Haga palanca en los tapones con un desarmador o un formón estrecho. Para instalar los tapones aplique pegamento en el orificio, y martille cada tapón en su lugar. Recorte el exceso de madera con un formón; sosteniendo esta herramienta con el bisel hacia arriba sobre el bastidor, elimine el residuo en virutas finas (véase la figura inferior), hasta que el tapón quede perfectamente a ras.

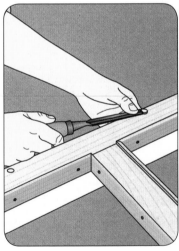

Esto producirá una superficie mucho más limpia que si el tapón se lijara.

Tapones de madera

TAPONES DE MADERA (Continuación)

Preparación de la superficie

Una forma efectiva de reparar detalles profundos de la superficie, como orificios dejados por tornillos o quemaduras, consiste en rellenar la hendidura con un tapón de madera. Comience perforando un orificio en la superficie para colocar el tapón. Instale en un taladro eléctrico una broca tipo Brad o una broca Forstner que sea un poco más grande que el defecto; centre la broca sobre el área dañada, y taladre un orificio de ½ pulgada de profundidad. Mantenga el taladro vertical y evite perforar completamente la pieza de trabajo.

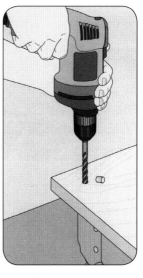

Instalación del tapón

Para asegurarse de que el tapón combine con el color y la veta de la superficie, haga el suyo con una pieza de madera del mismo material. Con un cortador de clavacotes en el taladro de columna, seccione varios tapones de la cara frontal de la tabla, cerciorándose de que su diámetro sea idéntico al del orificio que perforó en el paso anterior. Los tapones deberán ser un poco más largos que la profundidad del agujero. Compare cada tapón con la superficie, y elija el que mejor combine. Coloque pegamento en el tapón y en el orificio, inserte el tapón y golpéelo con un mazo. Recorte el tapón a ras de la superficie con un formón; luego, lije suavemente la superficie.

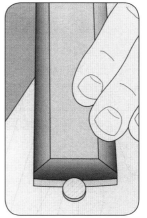

ENCIMERA

Listón

Travesero

Los soportes de las barras y mostradores suelen elaborarse de tableros de fibra de densidad media (tableros DM) de ¾ de pulgada, elegidos por su estabilidad dimensional. Para duplicar el espesor aparente de la encimera y aumentar su resistencia, construya el soporte con traveseros y listones. Primero, corte el soporte al tamaño, asegurándose de incluir algún saliente o voladizo; comúnmente de ¾ de pulgada. Enseguida, prepare una serie de traveseros y listones de 4 pulgadas de ancho del mismo material del soporte. Atornille los traveseros a lo largo de los bordes del soporte, luego, coloque los listones entre los traveseros, espaciándolos cada 18 o 20 pulgadas. Si usted va a unir dos hojas de soporte a modo de encimera con forma de L, asegúrese de fijar un listón en la unión.

CORREDERA PARA CAJÓN

Las correderas de tipo comercial han simplificado la instalación de cajones hasta el punto de haber remplazado prácticamente todos los dispositivos para su montaje, y lo han hecho por una buena razón. Estas correderas se instalan con facilidad y pueden asegurarse con solo tres o cuatro tornillos. Algunas correderas comerciales le permiten, incluso, mejorarlas, y pueden ajustarse de manera vertical después de haber instalado los tornillos.

Para el usuario de cocina, las correderas de cajones de tipo comercial también ofrecen una durabilidad incomparable. Las correderas de buena calidad de montaje lateral se prueban rigurosamente; deben abrirse y cerrarse sin problema, al menos, unas 100 mil ocasiones, y soportar una carga de 150 libras cuando se expanden por completo. Aunque las correderas montadas en la parte inferior no soportan mucho peso, resultan considerablemente más baratas.

Algunas correderas de montaje inferior pueden abrir un cajón en toda su longitud para mostrar su contenido.

CORREDERA PARA CAJÓN (Continuación)

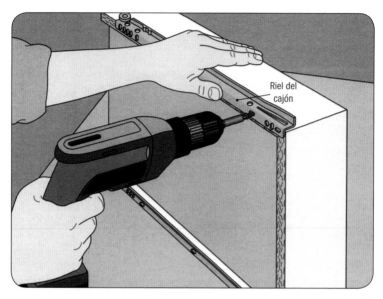

Riel del cajón

Montaje inferior

Las correderas de montaje inferior constan de dos partes: un riel que se conecta en la parte inferior de la corredera del cajón y una guía que se fija en los lados del gabinete. Antes de instalar el primer cajón, preséntelo frente al mueble y coloque las piezas de la corredera en cada uno de sus lados. Asegúrese de comprender dónde va cada pieza y su orientación. Para instalar el riel, coloque el cajón sobre uno de sus costados y tope el riel en la parte inferior del costado del cajón, como se muestra en la figura. Inserte el dispositivo $\frac{1}{16}$ de pulgada hacia atrás desde el frente del cajón, de modo que no interfiera con el frente falso. Asegure el riel desde abajo o desde el costado; si usted va a utilizar madera sólida o triplay, atorníllelo en el costado. Si ha elegido trabajar con melamina, instale el riel desde abajo. En ambos casos, taladre primero los orificios guía para evitar que el material se parta.

CORREDERA PARA CAJÓN (Continuación)

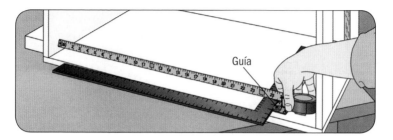

Guía

Posicionamiento de las guías

Una vez que haya determinado el espaciado de los cajones, posicione las guías para las correderas montadas en la parte inferior de los costados del gabinete. Coloque una guía en el lado del gabinete, utilizando una escuadra de carpintero para mantenerla en ángulo recto con respecto a frente del gabinete. Para gabinetes con bastidor frontal, coloque la guía casi a ras con el borde frontal del gabinete; para gabinetes sin bastidor, empotre el cajón por el grosor del material del frente falso; usualmente alrededor de ¾ de pulgada. Mida la altura apropiada del cajón y luego mueva la escuadra y la guía juntas para alinear la parte inferior de la guía con esta distancia. Marque los orificios previamente perforados en la guía justo en el costado del gabinete.

Fijación de las guías

Haga un orificio guía en cada una de las marcas que hizo en el paso anterior; enrede un pedazo de cinta adhesiva alrededor de la broca para asegurarse de que los tornillos no atraviesen el costado del gabinete. Sujete la guía en su lugar con un tornillo en cada orificio. Si usted tiene varios cajones para instalar a cierta altura, corte un espaciador de triplay para que se ajuste entre la guía y la parte inferior del gabinete. Coloque todas las guías a la misma altura sin medir.

Espaciador de triplay

Corredera para cajón

CORREDERA PARA CAJÓN (Continuación)

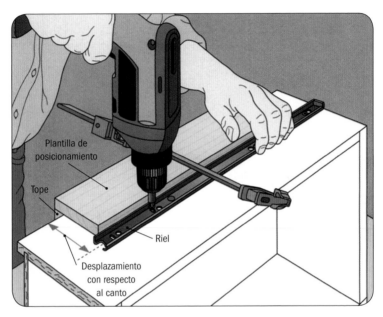

Plantilla de posicionamiento

Tope

Riel

Desplazamiento con respecto al canto

Montaje lateral

A diferencia de las correderas de montaje inferior, los rieles de una corredera para cajón de montaje lateral pueden fijarse en el costado de un cajón a cualquier altura. Para facilitar la instalación, siempre desplace el riel a la misma distancia desde el canto o borde inferior del costado del cajón. El riel de la ilustración se colocó a 3 ⅛ pulgadas del canto, midiendo al centro del riel.

Haga una plantilla simple para colocar todos los rieles exactamente en el mismo punto de cada cajón. Fije una pieza de una pulgada cuadrada, a manera de tope, en una pieza de triplay de 12 pulgadas de largo; luego, recorte la plantilla al ancho para mantener el riel en la posición correcta, como se muestra en la figura. Para instalar cada riel, separe primero el riel de su guía. A continuación, fije la plantilla en el costado del cajón y apoye el riel contra ella, asegurándose de que quede a ras con el frente del cajón. Asegure el riel con tornillos.

CORREDERA PARA CAJÓN (Continuación)

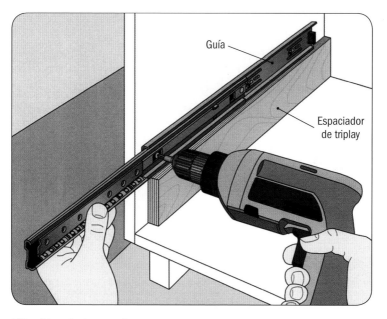

Guía

Espaciador de triplay

Fijación de las guías

Coloque las guías en los costados del gabinete de acuerdo con el espaciado deseado o requerido. Para la guía más baja, simplemente mida el desplazamiento del riel del cajón desde la parte inferior del gabinete, y añada ¼ de pulgada de libramiento. Trace una línea a esta altura. Apoye la guía contra el costado del gabinete, y centre los orificios para los tornillos sobre la línea. Para los gabinetes con bastidor frontal, coloque la guía de modo que quede casi alineada con la parte frontal del gabinete; para gabinetes sin bastidor, empotre la guía por el grosor del material del frente falso. Fije la guía con tornillos. Las guías más altas pueden posicionarse añadiendo la altura específica de cada cajón a la distancia que hay del poste de piso del gabinete al desplazamiento del riel. Recuerde medir al centro de la guía. Repita estos pasos para los otros cajones.

SOPORTES PARA ESTANTES

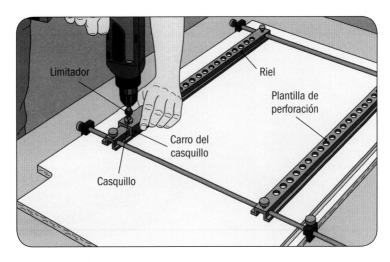

Soportes para estantes

La instalación de anaqueles ajustables requiere dos hileras paralelas de orificios que deben perforarse en los paneles laterales del cuerpo del gabinete. La plantilla de tipo comercial que se muestra arriba le permite taladrar orificios a intervalos de 1 pulgada, y garantiza que los orificios de acoplamiento queden perfectamente alineados. Coloque un panel lateral (con la cara interna bocarriba) sobre una superficie de trabajo, y fije la plantilla en los cantos del panel. Los orificios pueden estar a cualquier distancia de los cantos del panel, aunque unas dos pulgadas serían lo conveniente para los paneles que se muestran en la figura. Equipe su taladro con una broca del mismo diámetro que los casquillos de la plantilla e instale un limitador para marcar la profundidad de perforación equivalente a la longitud de cada casquillo. Comenzando en cualquiera de los extremos de uno de los rieles de la plantilla, coloque el casquillo adecuado en el primer orificio del carro (el casquillo mantiene la broca perfectamente escuadrada a la pieza de trabajo).

Sosteniendo el taladro y el carro, haga la perforación. Taladre una serie de orificios uniformemente espaciados a lo largo de ambos rieles. Quite la plantilla y repita el procedimiento en el otro panel lateral del gabinete, colocando cuidadosamente la plantilla de manera que los orificios queden alineados con los del primer panel.

PLANTILLA DE PERFORACIÓN PARA ESTANTES

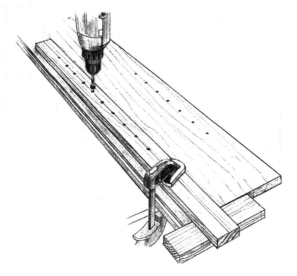

La plantilla con forma de T que se muestra en la figura le permitirá taladrar una hilera de orificios uniformemente espaciados con la misma precisión de una plantilla de tipo comercial. Haga la plantilla con madera de 1" × 3", teniendo cuidado de atornillar la defensa y el brazo juntos en un ángulo perfecto de 90°. Marque una línea en el centro del brazo y haga perforaciones a lo largo de él, a intervalos de 2 pulgadas, con la misma broca que usted usaría con casquillos roscados. Para usar la plantilla, fíjela en uno de los paneles laterales, con la defensa bien apoyada contra cada extremo del panel y contra la línea central marcada a 2 pulgadas de su borde. Instale en el taladro la broca con un limitador, haga las perforaciones, y reacomode la plantilla cada vez que tenga que hacer una hilera nueva.

PUERTAS DE GABINETE

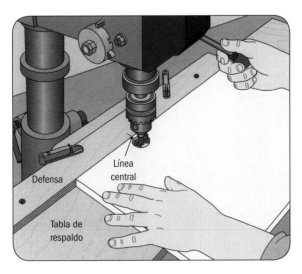

Defensa

Línea central

Tabla de respaldo

Orificios para la bisagra

Perfore los orificios para las bisagras ocultas o europeas con la ayuda de una plantilla y una guía de perforación de tipo comercial, o bien haga su propia plantilla instalando una defensa de triplay y una tabla de respaldo en su taladro de columna. Coloque en el taladro una broca Forstner de 35 milímetros y atornille la defensa y la tabla de respaldo juntas, como se muestra. Siga las instrucciones del fabricante de la bisagra con respecto a la profundidad de perforación recomendada y a la distancia desde el borde de la puerta; use un pedazo de madera para colocar correctamente la plantilla. Fije la plantilla en la tabla del taladro y marque la línea central del orificio en la defensa. A continuación, marque la ubicación de las bisagras en las puertas; dependiendo del tamaño de la puerta en la que vaya a trabajar, las bisagras pueden instalarse desde 3 hasta 6 pulgadas desde cualquier extremo de la puerta; marque una línea central similar en la defensa. Coloque la puerta bocabajo sobre la mesa del taladro y póngala contra la defensa, alineando una de las marcas de la bisagra con la línea central. Sostenga la puerta con firmeza y taladre el orificio. Deslice la puerta, alinee la segunda marca de la bisagra con la línea central, y taladre el segundo orificio.

PUERTAS DE GABINETE (Continuación)

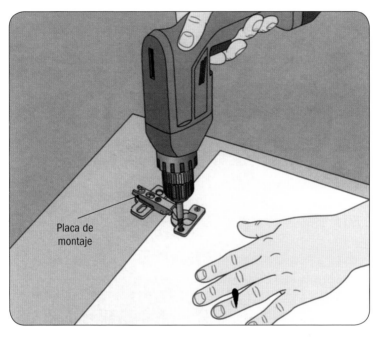

Placa de montaje

Instalación de la bisagra

Para trabajar cómodamente, coloque la puerta bocabajo sobre una superficie de trabajo. Con la placa de montaje unida al brazo de la bisagra, coloque el cuerpo de la bisagra en el orificio que perforó en el paso anterior (página 98). Luego, asegurándose de que el brazo de la bisagra esté perfectamente perpendicular al borde de la puerta, fije la bisagra en su lugar con los tornillos que suministra el fabricante.

Puertas de gabinete

9. EBANISTERÍA

PUERTAS DE GABINETE (*Continuación*)

Placa de montaje

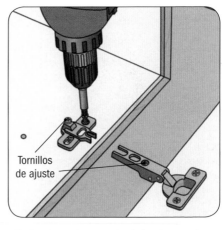

Con la placa de montaje todavía unida a la bisagra, alinee la puerta con el gabinete como se muestra, y extienda los brazos de la bisagra para apoyar la placa de montaje contra el panel. Asegurándose de que los tornillos de ajuste en la placa de montaje están en posición intermedia, marque una línea de referencia, desatornille la placa de montaje de los brazos de la bisagra y fíjela en el costado del gabinete. Esto no requiere demasiada precisión; la bisagra puede ajustarse fácilmente una vez instalada.

Tornillos de ajuste

Colocación de la puerta

Deslice los brazos de la bisagra en la placa de montaje, hasta que hagan clic en su posición; luego, atorníllelos.

Cierre la puerta y verifique su posición. Ajuste la altura, la profundidad o la posición lateral de la puerta aflojando o apretando los tornillos de ajuste en los brazos de la bisagra y la placa de montaje.

PUERTAS DE GABINETE (*Continuación*)

Ubicación de las perillas

La ubicación de las perillas de las puertas no requiere una tediosa medición de puerta a puerta. La plantilla que se muestra en la fotografía, hecha de una pieza de triplay y de dos topes cortados de madera sólida, ubica las perillas exactamente en el mismo lugar en cada puerta.

Índice analítico

ÍNDICE ANALÍTICO

ÍNDICE ANALÍTICO